Liebhart, H

Psalter und Harfe

Lieder und Melodien für Schule, Haus und gottesdienstlichen Gebrauch

Liebhart, H.

Psalter und Harfe

Lieder und Melodien für Schule, Haus und gottesdienstlichen Gebrauch

Inktank publishing, 2018

www.inktank-publishing.com

ISBN/EAN: 9783747790083

Psalter und Harfe.

Lieder und Melodien

für

Schule, Haus und gottesdienstlichen Gebrauch

Bearbeitet

von

H. Liebhart.

Hitchcock & Walden:
Cincinnati, Chicago und St. Louis.
Phillips & Hunt:
New-York.

Vorwort.

Die vorliegende 276 Seiten starke Sammlung enthält gegen vierhundert Lieder und nahezu dreihundert meistens vierstimmig gesetzte Melodien; und bietet, nebst dem Besten aus den so weit verbreiteten „Harfenklängen", über hundert neue Gesänge.

Das Buch ist durchgängig und gleichmäßig numerirt und mit einem ausführlichen Sach-, sowie mit einem genau ausgearbeiteten alphabetischen Register versehen, und wird wohl betreffs der Mannigfaltigkeit und Reichhaltigkeit bis jetzt von keinem deutschen Sonntagschul-Liederbuch übertroffen werden.

Bei der Auswahl wurde an den für die früheren Sammlungen maßgebenden Grundsätzen festgehalten, indem altes und neues, englisches wie deutsches Material sorgfältig geprüft und gesichtet, und keiner Art Einseitigkeit Raum gegeben wurde. Denn obwohl es fest steht, daß nicht allein die Jugend, sondern Jedermann aus deutschem Stamme mit dem religiösen Liederschatze Deutschlands gründlich bekannt werden sollte, so ist es ohne Zweifel viel zu weit gegangen, wenn von gewisser Seite alle aus dem Englischen übertragenen Lieder ohne Weiteres verworfen werden, und man deutsch-amerikanische Sänger zwingen will, nur Choräle in langsamem Tempo zu singen. Solche Zwangsmaßregeln werden auf die Dauer auch erfolglos sein, und zwar nicht hauptsächlich deßwegen, weil der Einfluß der amerikanischen Singweisen sich geltend macht, sondern namentlich darum, weil diese Singweisen an das deutsche Volkslied erinnern, das in seiner besten Form der Jugend Deutschlands in der Schule, sowie den deutschen Christen im geistlichen Volkslied geboten wird.

Andererseits aber ist auch jene Hast, mit welcher Manche ohne bedachtsame Auswahl nach englischen Liedern und Melodien — namentlich den neuen — greifen, schädlich, während die Meinung einiger dieser Eiferer, daß diese jungen, poetischen Kinder im englischen Gewand ihrer Subjektivität und Innigkeit wegen weit über alle deutsche geistliche Poesie zu stellen seien, unwillkürlich zum Lächeln reizt.

Nicht deßhalb, weil ein Lied englischen oder deutschen Ursprungs, neu oder alt — ist es gut oder zu verwerfen, sondern man hat sich einfach zu fragen: Sind Lied und Melodie werthvoll, das heißt, werden dieselben für die betreffenden Leser und Sänger nutzbringend sein; ist Gehalt darin und paßt sich das Gebotene den Verhältnissen an? Dies war der Maßstab, nach welchem die Auswahl für die verschiedenen „Harfen" und auch für dieses Buch getroffen wurde, und sollte es sich auch herausstellen, daß das eine oder andere Lied nicht so allgemein in Gebrauch kommt, so hoffen wir doch, daß im Ganzen auch diese Sammlung, gleich wie die früheren, mit Gottes Hülfe vielen Tausenden zum Nutzen und Segen werde.

H. Liebhart.

Cincinnati, im April 1876.

Entered according to Act of Congress in the year 1876, by HITCHCOCK & WALDEN, in the Office of the Librarian of Congress, at Washington.

Psalter und Harfe.

Der beste Anfang.

Mit dem Herrn fang' Al = les an! Kind = lich mußt du Ihm ver = trau = en, Darfst auf eig = ne Kraft nicht bau = en. Demuth schützt vor stol = zem Wahn. Mit dem Herrn fang' Al = les an! Mit dem Herrn fang' Al = les an!

2. Mit dem Herrn fang' Alles an!
Die sich Ihn zum Führer wählen,
Können nie das Ziel verfehlen;
Sie nur geh'n auf sichrer Bahn.
:,: Mit dem Herrn fang' Alles an. :,:

3. Mit dem Herrn fang' Alles an!
Muth wird dir der Helfer senden,
Froh wirst du dein Werk vollenden,
Denn das ist in Gott gethan.
:,: Mit dem Herrn fang Alles an! :,:

Das köstliche Blut.

1. Den blut = be=sprengten Kreu=zesstamm Das Kreuz des Herrn ich

seh', Im Blu = te liegt das Opferlamm, Trägt al = le Schuld und Weh'!

Chor.

O das Blut, köst = li = ches Blut, Das Je = sus gab für mich, Du

köst = lich Blut, du Lie = bes=fluth, O jetzt empfang ich dich.

2. Aus tausend, tausend Quellen rinnt
Des Lebens Strom herab,
Wer dieses Glaubensziel gewinnt,
Siegt über Höll und Grab.   [Chor.

3. Getilgt ist mit dem köstlich Blut
All' meine Sündenschuld,
Weil Gottes Lamm sie mir zu gut
Dort trug am Kreuz voll Huld.
                                    [Chor.

4. Im Glauben seh' ich's klar und hell,
Dies Blut wäscht mich ganz rein.
Es ist der wahre Gnadenquell,
Gelobt sei Gott! allein.   [Chor

5. Beseelt von diesem Element
Sing ich vor Gottes Thron,
Daß es durch alle Himmel tönt;
Dank sei dem Blut vom Sohn!   [Chor.

Der beste Kinderfreund.

(C. M. Doppelt.)

1. Wie gut muß doch der Hei-land sein, Daß Er vom Him-mel kam,
2. Er kommt noch im-mer für und für, Und klopft bald stark, bald fein
3. Wir kön-nen zwar den Hei-land nicht Mit un-sern Au-gen sehn;
4. Du al-ler-be-ster Kin-derfreund, Komm jetzt zu uns her-ein.

1. Und als ein Kind wie wir so klein die Knechtsge-stalt an-nahm! Wie
2. An uns-res klei-nen Her-zens Thür Und kehrt gern bei uns ein. Da
3. Doch fin-den wir im Glaubens-licht Sehr Ant-litz himm-lisch schön. Das
4. Daß Al-le, die hier sind ver-eint, Sich Dei-ner Lie-be freun. Be-

1. hat Er gar um uns ge-weint Und starb an uns-rer Statt. Er ist
2. mer-ket Er auf uns-re Bitt' Und winkt uns freund-lich zu; Dann theilt
3. leuch-tet mild auf uns her-ab Von sei-nes Va-ters Thron, Und zeigt
4. rei-te Dir durch un-sern Mund Ein Lob vor al-ler Welt, So thun

1. ber be-ste Kin-der-freund, Den's je ge-ge-ben hat.
2. Er Him-mels-ga-ben mit, Und schenkt uns fü-ße Ruh'.
3. uns, wie nach Tod und Grab Uns winkt die ew'-ge Kron'.
4. wir Dei-ne Lie-be kund, Wie es Dir wohl-ge-fällt.

Das Gebot der Liebe.

(P. P. M. 76, 76, 76, 76.)

Etwas langsam.

1. Gab uns Gott nicht reich'-res Loos, Als den an dern Kin - dern,
2. Seht, dort schleicht der Kran - ke schon Wan - kend hin zum Gra - be:
3. Se - lig, wer des Ar - men Noth, Zu er-leich-tern ei - let.

1. Brü - der - e - lend ist so groß, Soll - ten wir's nicht mil - dern?
2. Wei - nend sieht er, Got - tes Sohn Eu - rer from - men Ga - be!
3. Wer mit Hung-ri - gen sein Brod Oh - ne Zau - dern thei - let!

1. Folgt dar - um des Va - ters Ruf Frei aus Her - zens - trie - be,
2. Hört, wie sei - ne Stim - me bebt, Schaut, sein Blick wird trü - ber!
3. Denn der ban - ge Schmerzensmann, Den wir trö - stend pfle - gen,

1. Der zu Ei - nem Zweck uns schuf; Sein Ge - bet ist Lie - be.
2. Und mit Se - gens - wün - schen schwebt Er ver - klärt hin - ü - ber.
3. Kommt uns froh als En - gel dann Ue - berm Grab ent - ge - gen.

Winterlied.

Mel. Das Gebot der Liebe.

1. Jauchze, wenn der Frühling weckt!
Aber laßt dem Winter
Auch sein Gutes, denn es steckt
Wahrlich was dahinter.
Lange Tage sind wohl gut,
Doch die kurzen geben
Rasche Beine, warmes Blut,
Eßlust auch daneben.

2. Seht, im Sommer hängt das Kinn
Blöd' und matt herunter;
Winterluft macht Herz und Sinn
Herzlich wach und munter.

Blumenflor und Sonnenschein
Sind zwar schöne Sachen,
Und der Sommer weiß sich fein
Breit damit zu machen.

3. Doch weiß auch der Januar
Blumen aufzutreiben;
Künstlich wachsen sie sogar
An den Fensterscheiben.
Drum den Winter auch geliebt,
Wie ihn Gott gegeben!
Was der liebe Gott uns gibt,
Dient zum frohen Leben.

Einladung zum Gesang.

Fröhlich. (P. C. M.)

Halbchor.

1. Hin zu dem trau-ti-chen Krei-se, Sän-ger und Sän-ge-rin!
2. Wahrlich ein fröh-li-ches Sin-gen Oeff-net des Freun-des Herz;
3. O daß der Hei-land dies Ei-ne Gnä-dig-lich uns ver-lieh:

Halbchor.

1. Hin, wo in lieb-li-cher Wei-se Rau-schen die Har-mo-nie'n,
2. So mit den ro-si-gen Schwingen Flie-get es him-mel-wärts,
3. Un-se-rem Ju-gend-ver-ei-ne Dau-ern-de Har-mo-nie!

Chor.

1. Hin, wo in lieb-li-cher Wel-se, Rauschen die Har-mo-nie'n.
2. So mit den ro-si-gen Schwin-gen Flie-get es him-mel-wärts.
3. Un-se-rem Ju-gend-ver-ei-ne Dau-ern-de Har-mo-nie!

Chor.

10

Bundeslied der Schüler.

Fröhlich.   (P. M. 87, 87, 87, 87.)

1. Va - ter, Dir sey die - se Stun de Und auch un - fer Herz ge - weiht,
2. Wohl - zu - thun und mit - zu - thei - len Wol - len wir ver - gef - fen nicht;
3. Drum, o Va - ter, wir jetzt brin - gen Un - fern Preis und un - fern Dant.

1. Mit Dir ste - ben wir im Bun - de Für die gan - ze Le - bens - zeit.
2. In dem Thal der De - muth wei - len, Wif - fen wir, ist Chri - ften - pflicht.
3. Bis wir dort mit En - geln fin - gen E - wig un - fern Lob - ge - fang.

1. Tu - gend wol - len wir stets lie - ben, Freundlich ge - gen Je - den fein,
2. Stets fei un - fer Ziel und Stre - ben Treu - e und Wahr - haf - tig - keit;
3. Ja im Him - mel wer - den weh - nen Wir bei Dem, der „Lie - be" heißt,

1. Wol - len uns im Glau - ben ü - ben Und in Hoff - nung uns er - freun.
2. Her - zens - rein - heit, rei - nes Le - ben El - chert kann Un - fterb - lich - keit.
3. Wer - fen nie - der unf - re Kronen Vor dem Va - ter, Sohn und Geist.

Wer soll singen?

Mel. Bundeslied der Schüler.

1. Wer foll fingen, wenn nicht Kinder,
Starb nicht Jefus auch für fie?
Und in feiner Siegeskrone
Strahlen dermaleinst auch fie.

Warum gab er ihnen Stimmen
Wie den Vögeln füß und klar,
Wenn fie nicht ihm follten bringen
Ihre Lobgefänge dar?

2. Droben ift ein Chor der Kinder,
Stehend vor des Heilands Thron;
Engel laufchen, denn das Lied ift
Süßer als ihr eigner Ton!
Glaube hört die Himmelstöne,
Wenn das Ohr auch noch entfernt,
Sind dies nicht diefelben Weifen,
Die auf Erden fie gelernt?

3. Als auf Erden Jefus wallte,
Liebte er die Kinder fehr;
Da er nun im Himmel wohnet,
Sollt er lieben fie nicht mehr?
Laßt fie fingen — fich ergößen —
Niemals fingen fie zu früh.
Preift die Schöpfung doch den Höchften,
Warum follten nicht auch fie?

Kindesliebe.

Mel. Bundeslied der Schüler.

1. Meine Mutter follt' ich lieben,
Sie, die mich zuerft geliebt;
Niemals follt' ich fie betrüben,
Die mir fo viel Gutes gibt.
Als ich war ein kleines Kindlein,
Macht ich ihr viel Müh und Schmerz;
Und in manchem trüben Stündlein
Drückte fie mich an ihr Herz.

2. Was macht meine Heimath dorten
Stets fo voller Freud' und Licht?
Weil ich da an allen Orten
Seh' der Mutter Angeficht.

Welcher Ton ift's, der mich immer
Glücklich und zufrieden macht?
Den ich werd' vergeffen nimmer —
Ah, es ift die Mutterfprach'.

3. Meine Eltern follt ich lieben,
Dies befiehlt mir Gottes Wort;
Und mich im Gehorfam üben
Ueberall an jedem Ort.
Dann fchenkt Gott mir feinen Segen,
Meine Arbeit foll gerath'n;
Und er wird auf allen Wegen
Stets mein treuer Führer feyn.

Die Liebe Gottes.

(P. M. 65, 65.)

Mäßig.

1. Got - tes fü - ße Lie - be, Got - tes Va - ter - herz
2. Un - ten find nur Thrä - nen, Ift nur ei - tel Trug,
3. Un - ten ift nur Mü - he, Wenn's am be - ften ift,
4. O du rei - che Quel - le, Brun - nen je - der Luft.

1. Zie - hen mei - ne Trie - be Al - le him - mel - wärts.
2. Un - ge - ftil - tes Seh - nen Täu - fchung nur und Lug.
3. Ha - der fpät und frü - he, Daß man dein ver - gißt.
4. Ma - che mir es hel - le, Hell in Aug' und Bruft.

Das Jesus-Kind.

Mel.: Die Liebe Gottes.

1. Seht! hier in der Krippen
Liegt ein holdes Kind,
Dessen zarte Lippen
Noch geschlossen sind.

2. Wie die Hirten eilen
Von dem Felde her,
Und die Freude theilen
Mit dem Engel-Heer!

3. Knien vor dem Kinde,
Das ihr Heiland ist;

Predigen geschwinde
In der Nacht den Christ.

4. „Euch ist heut geboren,
Den die Schrift verheißt.
Oeffnet Mund und Ohren!
Gottes Wunder preist!"

5. Kindlein, meine Freude!
Komm und mach mich fromm;
Daß ich, wenn ich scheide,
Auch in Himmel komm!

Wider alle Wunden.

Moderato.

1. Wi - der al - le Wun - den Gibt's ein kräf - tig Kraut,
2. In des Glau-bens Gar - ten Ist es nur zu schau'n,

1. Der hat Hei - lung fun - den, Der dies Kräutlein
2. Lern' dies Kräut - lein war - ten, Es heißt: „Gottver-

1. baut, Der dies Kräut - lein baut.
2. trau'n," Es heißt: „Gott-ver - trau'n."

3. Singt zu allen Zeiten
Von des Vaters Huld,
Singt: An keinen Leiden
:,: Ist die Liebe schuld. :,:

4. Was sie gibt zu tragen,
Ist dem Menschen noth,
Daß er lerne sagen:
:,: Sterben ist kein Tod! :,:

Abendglöckchen.

Nach einer Volksweise. L. E.

2. Still von den dämmernden Triften
Ziehen die Heerden zu Thal;
Nur die Schalmei in den Klüften
Wecket den schlummernden Hall.
Hört ihr das Glöckchen? 2c.

3. Schaut noch manch Hälmchen nach oben,
Ehe die Sichel es brach,
Bleibt es doch gut aufgehoben
Unter dem himmlischen Dach.
Hört ihr das Glöckchen? 2c.

4. Droben mit all seinen Sternen
Führet der Wächter den Lauf,
Möget euch sicher entfernen,
Alle die Augen sind auf.
Hört ihr das Glöckchen? 2c.

5. Dörfchen, so sei uns willkommen!
Heut ist die Arbeit vollbracht.
Der uns das Werk abgenommen,
Senket die feiernde Nacht.
Hört ihr das Glöckchen? 2c.

Gehe nicht vorbei.

Worte von C. Ott.

1. Ge = he nicht vor = bei, o Hei = land, Hör' des Her = zens Schrei;
2. Gib mir an dem Thron der Gna = de, Ruh von mei = nem Schmerz

1. Da du Andern Gnad' er = zei = gest, Geh = e nicht vor = bei.
2. Sieh, hier knie ich, tief in Bu = ße Trö = ste doch mein Herz.

Chor.

Hei = land, Hei = land, Hör' des Her = zens Schrei;

Da du An = dern Gnad' er = zei = gest, Geh = e nicht vor = bei.

3. Nur zu dir sieht mein Vertrauen—
   Fels der Ewigkeit—
   Bei dir bin ich Armer sicher
   Jetzt und alle Zeit.   [Chor.

4. Du bist ja des Trostes Quelle,
   Sündern bringst du Heil;
   Sei der Friede meines Herzens,
   Werd' mein ganzes Theil.   [Chor.

Ergebung.

Innig.

1. Ue = ber Nacht, Ue = ber Nacht, Fällt ein Thau so kühl und
2. Ue = ber Nacht, Ue = ber Nacht, Blüht ein Blümlein still und

1. sacht! Wo die wel = ken Blümlein ni = cken Wird ihn Got = tes
2. sacht! Ist der Mor=gen auf = ge = gan=gen, Wird's im hel = len

1. Lie = be schi = cken, Lei = se, lin=dernd, kühl und sacht.
2. Glan=ze pran = gen Und die fro = he See = le lacht.

3. Wie Gott will, Wie Gott will,
Blume halt dem Gärtner still';
Kommen trübe Thränenschauer,
Blume nicht vergeß' in Trauer,
Deines Morgens denke still.

4. Wie Gott will, Wie Gott will,
Halt ich auch dem Gärtner still;
Ich, die Blum' in Gottes Garten,
Will den Segen still erwarten.
Bebe nicht und hoffe still.

Himmelwärts.

Mel. Ergebung.

1. Himmelwärts, Himmelwärts,
Eilt im Sehnsuchtsflug mein Herz.
Ach in keine Erdenzone —
Nein, zu meines Gottes Throne
Zieht mich tiefer Heimwehschmerz.

2. Heimathswehn, Heimathswehn,
Säuselnd von den ew'gen Höhn —
Du erquickst den Kampfesmüden,
Der sich sehnt zum ew'gen Frieden
In die Ruhe einzugehn.

3. Dürft' ich ziehn! Dürft' ich ziehn!
Dürft' ich jetzt schon schauen Ihn,
Der mich liebt — an den ich glaube —
Und entfesselt aus dem Staube
In die ew'ge Freistatt fliehn.

4. Herrlichkeit! Herrlichkeit!
Ach, was ist der kurze Streit
Gegen deine ew'gen Freuden!
Auch das schwerste Pilgerleiden
Ist nicht werth der Herrlichkeit.

5. Darum still, Darum still,
Folg ich, wie mein Jesus will.
Es genügt mir seine Gnade —
Des verborg'nen Lebens Pfade
Enden am erwünschten Ziel.

16

Es ist vollbracht!

(P. M. 87, 87, 87, 87.)

2. Vollbracht ist es, welche Wonne
Weckt das Wort in meiner Brust!
Gnadenströme, Lebenssonne,
Labetrank für meinen Durst!
Hallelujah, Hallelujah!
Mir kein Bangen mehr bewußt. :,:

3. Engelchöre, nehmt die Harfen,
Stimmet mit im Jubel ein,
Wenn des Lammes Lob wir feiern,
Dürfet ihr nicht stille sein.
O, wie köstlich, o wie köstlich,
Jesu, ist der Name Dein! :,:

Die Pilger.

(P. M. 88, 88, 98.)

„Laß die Engel ein.“

(C. M. Doppelt.)

1. Komm, öff ne weit die Thür, Mutter, Und laß die En-gel ein;
2. Ich muß ver-las-fen dich, Mutter, Der Tod läßt nicht von mir.
3. Und nun leb wohl, leb wohl, Mut-ter, Da-heim werd ich bald fein!
4. Und einst nach kur-zer Zeit, Mut-ter, Wirst fin-den du dein Kind,

1. Sie find so gut und schön, Mut-ter, So glänzend und so rein.
2. Du kannst mich hal-ten nicht, Mut-ter, Darf blei-ben nicht bei dir.
3. O, öff-ne weit die Thür, Mut-ter, Und laß die En-gel ein.
4. Im Land des Lichts, im Land der Ruh', Dort, wo die En-gel find,

1. Sie ru-fen mich so leis, Mut-ter; Sie la-ben freundlich ein?
2. So dun-fel ist's um mich, Mut-ter; Hör ich dich wei-nen nicht?
3. Sie tra-gen mich in's Land so fern, Weit ü-ber's Ster-nen-zelt,
4. Die Thrän', sie flie-ßet dort nicht mehr An je-nem Freu-den-ort.

1. O, laß die En-gel ein, Mut-ter; Bei ih-nen möcht' ich fein.
2. Ich zie-be in ein Land, Mut-ter, Wo nir-mals fehlt das Licht.
3. Zu ih-rem und zu mei-nem Herrn, In je-ne bess'-re Welt.
4. Wir fin-gen mit der Sel'-gen Heer Ein Hal-le-lu-ja dort.

Lob des Herrn.
(P. M. 47, 47, 44.)

Die Auferstehung.
(C. M.)

2

Sehnsucht.
(P. M. 76, 76.)

Gemächlich.

1. Ach, wär' ich doch dort o - ben Bei dir im Him - mel,
2. Könnt' ich mit sel' - gen En - geln Schon steh'n vor dei - nem
3. Hätt' ich die Eis - ges - pal - me Doch schon in mei - ner

1. Herr; Und könnt' dir e - wig die - nen, Wo
2. Thron, Im wei - ßen Eh - ren - klei - de, Mit
3. Hand, Und spiel - te auf der Har - fe, In

1. Sünd' und Leid nicht mehr, Wo Sünd' und Leid nicht mehr.
2. ei - ner Ster - nen - kron', Mit ei - ner Ster - nen - kron'.
3. je - nem sel' - gen Land, In je - nem sel' - gen Land.

4. Könnt' ich mich doch schon freuen
Mit theuern Freunden dort,
Die mir vorangegangen
:,: Nach jenem schönen Ort. :,:

5. Zwar leb' ich noch auf Erden,
Doch lange es nicht währt;
Bald lebe ich dort oben
:,: Bei dir, o Herr, verklärt. :,:

Der Rabe und das Täubchen.
Mel. Sehnsucht.

1 Der Regen war zu Ende,
Versiegt der Quellen Lauf;
Da hoben sich die Hände
:,: Mit Dank zu Gott hinauf. :,:

2. Der Kasten ließ sich nieder
Auf Ararats Gebirg.
Der Berge Spitzen wieder
:,: Erschienen im Bezirk. :,:

3. Das Fenster, das verriegelt,
Thut Noah nunmehr auf;
Ein Rabe eilt beflügelt
:,: Hinaus in freiem Lauf. :,:

4. Ihm folgte eine Taube;
Die kam mit frohem Blick
Sammt einem grünen Laube
:,: Um Vesperzeit zurück. :,:

5. Der Rabe kann nicht rasten,
   Er fliegt von Baum zu Baum;
   Zu eng ist's ihm im Kasten,
   :,: Er liebt den freien Raum. :,:

6. Hast du, mein lieber Knabe,
   Der Taube sanft Gemüth?
   Bist du ein wilder Rabe,
   :,: Der seine Heimath flieht? :,:

Immergrün.

Mel. Sehnsucht.

1. An heitren Frühlingstagen,
   Wenn Zephyrlüftchen wehn,
   Mag's jedem wohl behagen,
   :,: Durch Flur und Hain zu gehn. :,:

2. Dann glänzt die goldne Sonne,
   Es fliegt der Vöglein Schaar;
   Dann schwimmt das Herz in Wonne,
   :,: Und hat so frischen Schlag. :,:

3. Doch wenn die Stürme wüthen,
   Und wenn das Bächlein friert,
   Statt weißer Apfelblüthen
   :,: Der Reif die Bäume ziert; :,:

4. Dann hilft nicht leichtes Scherzen,
   Nicht Tändelei und Spiel;
   Nur treue, muth'ge Herzen
   :,: Führt dann der Weg zum Ziel! :,:

5. Oft fand ich, tief verborgen,
   Bedeckt mit Schnee und Eis—
   Inmitten meiner Sorgen—
   :,: Ein schönes grünes Reis. :,:

6. Es trägt, wie ich so meine,
   Der schönsten Namen zwei;
   Heißt „Immergrün" im Haine,
   :,: Im Herzen „Immertreu." :,:

Geschwisterliebe.

Kindlich.

(P. M. 55, 94, 10, 88.)

1. Wie fein und lieb - lich, wenn un - ter Brü - dern, wenn un - ter
   Schwe - stern die Ein - tracht wohnt! Wenn Hand in Hand durchs
   schö - ne Land des Le - bens al - le gehn, dann wird es noch
   ein - mal so schön, wo wir sie wan - deln sehn.

2. Da mag ich woh - nen, da mag ich blei - ben, und ist ein
   Hütt - chen wohl arm und klein. Wo Lie - be ist, o
   da ver - mißt man gern ein and - res Gut; da ist man reich
   und wohl - ge - muth, bei Al - lem, was man thut.

3. O Ein - tracht! Lie - be! Laß stets dich fin - den, wo Brü - der
   woh - nen, wo Schwestern sind; ver - laß - se sie im
   Le - ben nie, daß sie sich nicht ent - zwein, und führ, daß sie
   sich e - wig freun, sie einst zum Him - mel ein.

22

So wie ich bin.

1. So wie ich bin,—mein Recht und Brief Allein dein Blut die Wunden tief
2. So wie ich bin; ich har = re nicht, Bis eig'ne Nacht das Dunkel bricht;

1. Und dein Wort, das zu dir mich rief, So komm' ich, Gottes Lamm, zu dir.
2. Zu dir, der Nacht verklärt in Licht, Komm' ich hier, Gottes Lamm, zu dir.

3. So wie ich bin; im Widerstreit
Der Zweifel, voller Herzeleid,
Mir selber feind, vom Feind umdräut,
So komm' ich, Gottes Lamm, zu dir.

4. So wie ich bin, blind, arm und matt,
Such' ich bei dir, der Alles hat,
Licht, Reichthum, Salb' aus Gilead.
Hier komm' ich, Gottes Lamm, zu dir.

5. So wie ich bin, nimmst du mich an;
All' Sünd' und Schuld wird abgethan,
Weil deinem Wort ich glauben kann.
So komm' ich, Gottes Lamm, zu dir.

6. So wie ich bin; dein Liebeswort
Hebt über jede Kluft mich fort.
So laß mich dein sein hier und dort,
Nur dein, o Gottes Lamm, nur dein.

Der geöffnete Himmel.

Andante moderato.

1. Der Him = mel steht of = fen, Herz, weißt du war = um?

Weil Je = sus ge = kämpft und ge = blu = tet dar = um.

2. Auf Golgatha's Hügel, da litt Er für dich,
:,: Als Er für die Sünder am Kreuze erblich. :,:

3. So komm' doch, o Seele, komm' her zu dem Herrn
:,: Und klag' deine Sünden, Er hilft ja so gern. :,:

4. Wenn gleich deine Sünden so roth sind wie Blut,
:,: Es machen die Wunden des Heilands sie gut. :,:

5. O Jesu, mein Heiland, mein Hort und mein Theil,
:,: In dir nur ist Frieden, in dir nur ist Heil. :,:

Der schönste Baum.

1. Der Christbaum ist der schönste Baum, Den wir auf Erden kennen; Im Garten klein, im engsten Raum, Wie lieblich blüht der Wunderbaum, Wenn seine Blümchen brennen, Wenn seine Blümchen brennen; ja brennen.

2. Denn sieh, in dieser Wundernacht Ist einst der Herr geboren: Der Heiland, der uns selig macht! Hätt' Er den Himmel nicht gebracht, Wär' alle Welt verloren, Wär' alle Welt verloren, verloren.

3. Doch nun ist Freud' und Seligkeit,
Ist jede Nacht voll Kerzen;
Auch dir, mein Kind, ist das bereit,
Dein Jesus schenkt dir Alles heut,
:,: Gern wohnt Er dir im Herzen. :,:

4. O laß ihn ein, es ist kein Traum!
Er wählt dein Herz zum Garten,
Will pflanzen in dem engen Raum
Den allerschönsten Wunderbaum
:,: Und seiner treulich warten. :,:

Der sterbende Erlöser.

(P. M. 11, 11, 11, 11.)

1. Kommt her, lie-be Kin-der! O kom-met recht nah. Und
2. O seht doch, wie Er als das un-schuld'-ge Lamm, So
3. Gebt ihm eu-re Her-zen! Für-wahr Er ist's werth! Wohl

1. seht dort am Kreu-ze, was für euch ge-schah! Dort hängt un-ser
2. wil-lig auf sich uns-re Sün-den-schuld nahm. Er hat uns er-
3. dem, der le-ben-dig zu ihm be-kehrt! Er spricht ja so

1. Hei-land so blu-tig und bleich. O seht, o seht, O seht, o
2. lö-set von Stra-fe und Pein, Und will, und will, Und will, und
3. freund-lich: „Ich mach' Al-les neu!" Wer glaubt, wer glaubt, Wer glaubt, wer

1. seht, O seht, es ist Niemand an Lie-be ihm gleich!
2. will, Und will, daß wir sol-len sein Ei-gen-thum sein.
3. glaubt, Wer glaubt, der ist e-wig recht glück-lich und frei!

1. O seht, es ist Niemand an Liebe ihm gleich!
2. Und will, daß wir sollen sein Eigenthum sein.
3. Wer glaubt, der ist ewig recht glücklich und frei!

Flüchtigkeit des Lebens.

Mel. Der sterbende Erlöser.

1. Wie Schiff auf dem Meere, wie Wolken so frei,
So eilen die Jahre des Lebens vorbei;
Wer weiß, ob auf Erden noch lange ihr weilt,
:,: O Kinder, noch heute zum Heilande eilt. :,:

2. Wie schön sind die Blumen in Frühlingszeit-
[spracht;
Doch tödtet sie schnell oft der Frost einer Nacht.

Wie Blumen verwelkt ihr, ach! seid ihr bereit?
:,: O, eilet zum Heiland, jetzt habt ihr noch Zeit. :,:

3. Die seligsten Freuden, den Frieden, die Lust,
Die findet man nur an des Heilandes Brust;
Da kann man im Tode selbst jubeln noch froh:
:,: „Ich gehe zu Jesu!" Wie leicht stirbt sich's
[so! :,:

Jesu Schäflein.

(P. M. 77, 88, 77.)

1. Weil ich Jesu Schäflein bin, Freu ich mich nur immerhin
2. Unter seinem sanften Stab Geh ich aus und ein und hab
3. Sollt ich denn nicht fröhlich sein, Ich beglücktes Schäfelein?

1. Ueber meinen guten Hirten, Der mich wohl weiß zu beweiden
2. Unaussprechlich süße Weide, Daß ich keinen Mangel leide,
3. Denn nach diesen schönen Tagen, Werd ich endlich hingetragen.

1. Der mich liebet, der mich kennt, Und bei meinem Namen nennt.
2. Und so oft ich durstig bin, Führt er mich zum Brunnquell hin.
3. In des Hirten Arm und Schooß: Amen, ja, mein Glück ist groß!

Amerika.

P. M. (66, 4, 66, 64.)

Anbetung.
Mel. Amerika.

1. Anbetung, Ruhm und Preis
Bring, wer zu bringen weiß,
Jesu, dem Lamm;
Preis Seiner Majestät,
König, Priester, Prophet.
Der uns zu sich erhöht,
Vom Sündenschlamm.

2. Preis Seiner Liebesgluth,
Die Ihn, nur uns zu gut,
Trieb in den Tod.
„Es ist vollbracht!" Er schreit:
Sterbend Er uns befreit
Von allem Erdenleid,
Von Sünd' und Tod.

3. Preis Seiner Himmelfahrt!
Weil sie uns offenbart
Die Herrlichkeit.
Den Vorhang reißt entzwei,
Bürgt uns die Gnade frei,
Ruft Allen: „Kommt herbei,
Kommet noch heut!"

4. Preis sei Fürsprecher Dir,
So lang im Leibe wir
Wallen und flehn.
Auf Dein Gebet wir traun,
Auf Dein Verdienst wir baun,
Auf Deinen Weg wir schaun,
Bis wir Dich sehn.

Christus, der Herr.

Mel. Amerika.

1 Gottes und Menschensohn,
Richter und Richterthron!
Preis, Ehr' und Ruhm
Sei Dir von mir gebracht,
Weil Du an mich gedacht,
Daß Du mich zu Dich ziehst.
Hallelujah!

2. König des ganzen All,
Der Du den Erdenball
Einst hast besucht,
Und nach vollbrachtem Lauf
Dich schwingst zum Thron hinauf,
Nach Königs Würd' und Recht
Hallelujah!

3. Du bist der Kirchen Haupt
Jeden, der an Dich glaubt,
Den schützet Du.
Menschen, seid unterthan,
Betet den König an,
Der euch mit Blut erkauft.
Hallelujah!

4. Ihn wird man kommen sehn,
Anders, als einst geschehn,
In Herrlichkeit.
Laßt uns zu Jesu gehn,
Und Ihn von Herzen flehn,
Daß man mitsingen kann:
Hallelujah!

Bundeslied.

(P. M. 98, 98.)

1. Hier kom-men Deine Bun-des - glie - der, O Haupt, nimm uns erbar-mend an.
2. So arm u. schwach u. voll-er Sün - den stehn wir vor Dei-nem An-ge - sicht.
3. Ver-leih uns Glaube, Hoffnung, Lie - be, Er-halt und meh-re Dei-ne Gnad',
4. Und end-lich führ uns als die Dei - nen Ge-seg-net ein zur ew'-gen Ruh';

1. Schau mild auf dei - ne Schäflein nie - der, O Hir-te, dem wir be-tend nahn.
2. Ach, laß uns Trost u. Gnade fin - den, Und geh nicht mit uns ins Ge-richt.
3. Und heil' - ge al - le unf - re Trie - be, Und leit uns auf dem schmalen Pfad.
4. Laß uns zur Rechten dort er - schei - nen, O sprich dein Amen, Herr, da - zu.

Stimmung zum Gebet.

Mel. Bundeslied.

1. Es ruft mir Gott, ich soll mich nahen,
Und spräch' auch thörichtes mein Mund,
Nur gnädiges werd' ich empfahen,
Du wirst mir geben, was gesund.

2. Ob schwach und irrend die Gedanken
Vertrauend bringe ich sie dar,
Und steben wirst du selbst die Schranken,
Und treu mein bestes nehmen wahr.

3. Ich bitte nicht um Glück der Erden,
Nur um ein Leuchten kann und wann,
Daß sichtbar deine Hände werden,
Ich deine Liebe ahnen kann.

4. Ich möchte noch um Vieles bitten,
Doch besser schweigend knie ich hier,
Denn der für mich am Kreuz gelitten,
Mein milder Anwalt steht bei mir.

5. Ich wankte stets in Finsternissen;
Er war es stets, der Strahlen warf.
Der Alles weiß, soll' der nicht wissen
Das, was sein armes Kind bedarf?

6. O süßes Anrecht, mir gegeben,
O Zuversicht, die ihm entspriest!
Wie weiß ich heut' von seinem Beben,
Wo mich sein Sonnenschein umfließt.

3

Eilet fort zur Sonntagschul'.

(P. M. 66, 75, 67, 77, 76.)

2. In der Winterzeit,
Wenn die Erde weit
Ist gekleidet weiß mit Schnee,
Wenn die Frühlingsluft
Uns im Mai umhaucht,
Zu der Sonntagschul' ich geh'.
Wenn der liebe Sabbath kommt
Mit viel Freude, Lust und Wonn',
Froh und heiter ich dann komm'
In die Sonntagschul'.
Chor: Eilet fort, nur fort, 2c.

3 In der Klasse schön
Will ich freudig stehn,
Um die Zeit der Sonntagschul'.
Unsre Stimmen rein,
Die so jung noch sein,
Sollen Gottes Lob erhöhn.

Statt der Sünde mich zu freu'n,
Geh' ich jeden Sonntag rein,
Immer mit viel Lust und Freud'
In die Sonntagschul'.
Chor: Eilet fort, nur fort, 2c.

4. Möge Gottes Gnad',
Segnend früh und spat,
Von uns weichen nimmermehr.
Weil wie Rosen schön
Wir im Garten stehn,
Spenden Lebensduft umher.
Wenn nicht mehr in diesem Land
Sondern an dem Jordansstrand
Denken wir zurück mit Dank
In die Sonntagschul'.
Chor: Eilet fort, nur fort, 2c.

29

Der Mahnruf.

Gemäßigt.   (P. M. 76, 86, 76, 86.)

1. Es glänzt in Him-mels-fer-nen   Die schö-ne Hei-math mein;
2. Die Sel'-gen dor-ten sin-gen   Dem Lam-me auf dem Thron;
3. Gern werd auch ich ein-stim-men   In den Tri-umph-ge-sang.

1. Es ist des lie-ben Va-ters Haus, Wo e-wig ich soll seyn.
2. Und kei-nes schweigt, nein je-de Harf' Er-höht den Ju-bel-ton.
3. Wenn Kampf und Thrän' sich wan-deln wird In ew'-gen Ju-bel-klang.

Chor.

Horch, horch! ich hö-re Stimmen: „Komm, zög-re län-ger nicht!“

O, hört ihr nicht den Mah-ne-ruf: „Steh auf und eil zum Licht!“

Die kleine Kapelle im Thal.

Worte von J. A. Reitz.

1. Im Wal-de dort ste-het ein Kirch - lein, Der freundlichste Platz in dem Thal;
2. Wie schön, wenn am Sabbath ertö - - net Der Glo-cke gemüth-li - cher Schall,

1. Kein Ort ist auf Er-den mir theu - - er, Als die klei-ne Ka - pel-le im Thal.
2. Er ruft mir so freundlich zu kom - men Zu der kleinen Ka - pel-le im Thal.

Chor.

O komm, komm, komm, komm, Komm zu dem Kirch-lein im
komm, komm, komm, komm,

Wal - - - de, O, komm zur Kapel - le im Thal; Kein
komm, komm, komm, komm, komm, komm, komm, komm, komm, komm, komm, Kein

Ort ift auf Er-den uir theu - rer, Als die klei-ne Ka-pel-le im Thal.

3 Dort, dicht bei dem Kirchlein im Walde
Ruht Eine (r) aus unserer Zahl,
Dort schlummert sie (er) nunmehr im
Frieden
In dem stillen und lieblichen Thal.[Chor.

4. Wir hoffen sie einstens zu finden
In jener erlöseten Zahl,
Im Tempel dort oben viel schöner,
Als die kleine Kapelle im Thal.
[Chor.

Danket dem Herrn.

Solo. Chor.

1. Dan = ket dem Herrn! Wir dan = ken dem Herrn; Denn Er ift

freund = lich Und sei = ne Gü = te wäh = ret e = = wig=

lich; Sie wäh=ret e = wig=lich, Sie wäh=ret e = wig = lich.

2. Lobet den Herrn! Ja lobe den Herrn
Auch meine Seele; Vergiß es nie, was
Er dir Gut's gethan;
:,: Was er dir Gut's gethan. :,:

3. Anbetung Ihm! Anbetung dem Herrn!
Mit froher Ehrfurcht Werd auch sein
Name stets genannt;
:,: Sein Name stets genannt. :,:

Was wird die Ernte sein?

Was der Mensch säet, das wird er ernten. Gal. 6, 7.

1. Sä = e, be = vor noch die Sonn auf=geht; Sä=e, wenn heiß sie im
2. Fällt hier der Sam' an des We = ges Rand, Dort in den Stei=nen die

1. Mit=ta=ge steht; Sä = e, wenn gol = den der A = bend lacht; Sä=e den
2. Sonn' ihn verbrannt. Wuchernd er=sti=cken ihn Sorg und Welt, Fällt er doch

1. Sa=men bei dunkler Nacht: O, was wird die Ern = te sein? O,
2. dort auf ein gu=tes Feld. O, was wird die Ern = te sein? O,

1. was wird die Ern = te sein?
2. was wird die Ern = te sein? }

Chor. Sä'st du in

Sä'st du in Fin=ster=niß,

3. Sä'st du den Samen mit läss'ger Hand,
Sä'st du den Samen mit irrem Verstand,
Sä'st du Verleumdung und bitt're Rach,
Sä'st du den Samen der ew'gen Schmach.
:.: O, was wird die Ernte sein? :,:

4. Sä'st du mit brechendem Herzen auch,
Sä'st du den Samen mit thränendem Aug':
Hoffnungsvoll sä', bis die Schnitter nah'n!
Froh wirst auch du dann den Lohn empfah'n:
:,: O, was wird die Ernte sein? :,:

34

Zufriedenheit.

(P. M. 86, 86, 88.)

mo.

1. {Was frag' ich viel nach Geld und Gut, Wenn ich zu - frie - den bin!
{Gibt Gott mir nur ge - sun - des Blut, So hab ich fro - hen Sinn,

2. {So Man-cher schwimmt im Ue - ber-fluß, Hat Haus und Hof und Geld,
{Und ist doch im - mer voll Ver-druß Und freut sich nicht der Welt,

p

1. Und sing aus dank - ba - rem Ge - müth Mein Mor - gen - und mein A - bend - lied.
2. Je mehr er hat, je mehr er will, Nie schwei - gen sei - ne Kla - gen still.

3. Da heißt die Welt ein Jammerthal.
Und däucht mir doch so schön;
Hat Freuden ohne Maß und Zahl,
Läßt keinen leer ausgehn.
Das Käferlein, das Vögelein,
Darf sich ja auch des Maien freun.

4. Und uns zu Liebe schmücken ja
Sich Wiese, Berg und Wald;
Und Vögel singen fern und nah,
Daß alles wiederhallt.
Bei Arbeit singt die Lerch uns zu,
Die Nachtigall bei süßer Ruh'.

5. Und wenn die goldne Sonn' aufgeht
Und golden wird die Welt;
Wenn Alles in der Blüthe steht,
Und Aehren trägt das Feld:
Dann denk' ich: alle diese Pracht
Hat Gott zu meiner Lust gemacht.

6. Dann preis' ich laut und lobe Gott,
Und schweb' in hohem Muth,
Und denk', es ist ein lieber Gott,
Und meint's mit Menschen gut! —
Drum will ich immer dankbar sein,
Und mich der Güte Gottes freun.

Das Schneeglöcklein.

Mel. Zufriedenheit.

1. Ich kenn' ein Glöcklein mild und zart,
Durch weißen Schmelz verschönt,
Das leise nur, doch munterbar
Durch's Reich der Lüfte tönt;
Ein Glöcklein ist's, aus Flor gewebt,
Das jedes Herz mit Lust belebt.

2. Und kaum vernimmt den Wunderklang
Das stolze Blumenheer,
Da eilt es aus dem Kämmerlein
Gar schnell an's Licht hervor,
Und drängt, mit Schönheit angethan,
Zum Frühlingsfeste sich heran.

3. O, wie man jetzt der Reihe nach
Die Kinder Flora's schaut!
Doch auch allmählig schwächer wird
Des Silberglöckleins Laut;
Es dehnet sich, vernehmbar kaum,
Nur noch auf einen engen Raum.

4. Und endlich, wenn der Lenz erscheint
In voller Herrlichkeit,
Verstummt das Glöcklein ganz und gar
Auf lange, lange Zeit;
Es schließt sich in sein Alles Haus
Und ruht von seinem Läuten aus.

Nur voran!

(P. M. 12, 12, 12, 12.)

1. Nur vor - an, nur vor - an! fröh - lich wie Vög - lein sind,
2. Im - mer zu, im - mer zu! un - ver - zagt nur vor - an.
3. Drin - gen vor, brin - gen vor! tro - tes Muth auch und Schweiß.
4. Mit Ge - sang, mit Ge - sang! aus dem Kampf ziehn wir heim.

1. Kom - men vie - le der Kin - der von Nah und von Fern.
2. Mit des Glau - bens Ver - trau - en ziehn wir nun ver - eint;
3. Auf den Ruf un - sers Hei - lands ziehn wir je - des Schwert;
4. Je - de Fahn' trägt den Lor - beer, be - reit ist der Lohn.

1. Mun - ter schlägt un - ser Herz, ist voll Sang und voll Lieb';
2. So wie Gott es uns heißt froh und mu - thig da - bin.
3. Denn wir käm - pfen für Gott, und gar schön ist der Preis.
4. Schö - ne En - gel, sie hei - ßen uns will - kommm da - heim,

1. Jun - ge Strei - ter von Zi - on, wir fol - gen dem Herrn.
2. Weil wir glau - ben und be - ten, drum schreckt uns kein Feind.
3. Laßt uns schla - gen die Fein - de, daß uns der Sieg werd'.
4. Und der Hei - land wird schen - ken uns Lor - beer und Kron'.

Chor.

Nur vor - an, nur vor - an! sei das Lo - sungswort, sei das Lo - sungs - wort!

Un - ser Hei - land zieht ja mit uns, und für Ihn strei - ten wir gern.

Nur vor - an, nur vor - an! jauchzt den Sie - ges - ruf, jauchzt den Sie - ges - ruf!

Und wie ge - ben Gott die Eh - re: Hal - le - lu - jah sei dem Herrn!

Der Heiland im Herzen.

(P. M. 75, 11, 11.)

1. Mei - nen Hei - land im Her - zen, Da schlaf ich so
2. Mei - nen Hei - land im Au - ge, Da schreckt mich kein
3. Mei - nen Hei - land im Sin - ne, Bleibt Bö - ses mir
4. Dar - um will ich Ihn hal - ten Stets fest und ge-

1. füß. Da träum' ich so se - lig vom Pa - ra - dies, Da
2. Feind; Er blei - bet dem be - ten - den Kin - de ver - eint. Er
3. fern; Die Sün - de ent - wei - chet vor Gott, meinem Herrn. Die
4. treu; Mein Va - ter im Him - mel, o ste - be mir bei. Mein

1. träum' ich so se - lig vom Pa - ra - bies.
2. blet - bet brm be - ten - ben Kin - be ver - eint.
3. Sün - be ent - wei - chet vor Gott, mei - nem Herrn.
4. Va - ter im Him - mel, o ste - he mir bei.

Singet schön!

(P. M. 67, 65, 77, 65.)

1. Sin - get schön, sin - get schön, Laßt er - schal - len Lob - ge - tön. Hoch er - hebt,
2. En - gel gebn, En - gel gebn, Sin - genb auf den Him - melchöb'n; Jauchzen Gott,

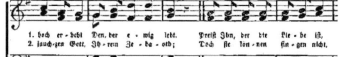

1. hoch er - hebt Den, der e - wig lebt. Preist Ihn, der bie Lie - be ist,
2. jauch-zen Gott, Ih - rem Ze - ba - oth; Doch sie kön - nen sin - gen nicht.

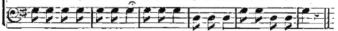

1. Un - ser Hei-land Je-sus Christ, Sin-get schön, sin - get schön, Laßt uns Ihn er - höhn.
2. Was der Blutege-wasch'ne spricht: „Je-sus Christ, Je-sus Christ Mein Er - lö - ser ist."

3. Tiefer Fall, tiefer Fall
Brachte Sünde überall.
Jesus kam, Jesus kam,
Ehre seinem Nam'!
Er vergoß für uns sein Blut,
Macht' den Schaden wieder gut.
Wer nun glaubt, auf Ihn baut,
Ist mit Ihm vertraut.

4. Nun gewiß, nun gewiß
Offen steht das Paradies;
Hört den Schall, hört den Schall:
„Komm! zum Hochzeitsmahl!"
Jesus, wenn die Stunde ist da,
Bring uns dir auf ewig nach!
Gloria! Gloria!
Jauchzen wir allba.

Kommen zu Jesu.

(P. M. 86, 76.)

4. Ja wir kommen, Fürst des Lebens,
Zu bleiben stets bei Dir,
Dein Ruf schallt nicht vergebens,
Wir singen schon allhier:
Chor: Ja wir kommen, ja wir kommen,
Ja wir kommen, Fürst des Lebens;
Ja wir kommen, ja wir kommen,
Zu bleiben stets bei Dir.

5. Ja wir kommen, großer König,
Zu krönen Dich mit Preis,
Wir sind Dir unterthänig,
Du machst uns rein und weiß.
Chor: Ja wir kommen, ja wir kommen,
Ja wir kommen, großer König;
Ja wir kommen, ja wir kommen,
Zu krönen Dich mit Preis.

Der gute Hirte.
(P. M. 65, 65, 65, 65.)

1. { Je-sus ist mein Hir-te, Ich bin oh-ne Noth; }
   { Gibt mir das Ge-lei-te, Selbst bis in den Tod; } Schließt in Sei-ne Ar-me

2. { Je-sus ist mein Hir-te, Der mein Her-ze kennt; }
   { An der Hand mich führet, Mich Sein ei-gen nennt; } Stil-let mei-nen Kummer,

1. Mich bei Tag und Nacht, Gibt den heil'-gen En-geln Ue-ber mir die Wacht.
2. Wischt die Thrä-nen ab, Wird mich nicht ver-las-sen Selbst im fin-stern Grab.

3. Jesus ist mein Hirte,
Sing ich voller Freud';
Wird's gewiß auch bleiben
In der Ewigkeit.
Dort, vor Gottes Throne,
In die Sel'gen Reih'n
Führt der gute Hirte
Mich, Sein Schäflein, ein.

4. Jesus ist mein Hirte
Und Er führt mich hin
Zu den Salems Auen,
Frisch und immer grün;
Leitet mich zum Wasser,
Das ins Leben quillt;
Da wird dann für immer
All mein Durst gestillt.

Abendlied.
Mel. Der gute Hirte.

1. Abend wird es wieder;
Ueber Wald und Feld
Säuselt Frieden nieder,
Und es ruht die Welt.
Nur der Bach ergießet
Sich am Felsen dort,
Und er braus't und fließet
Immer, immer fort.

2. Und kein Abend bringet
Frieden ihm und Ruh'
Keine Glocke klinget
Ihm ein Rastlied zu.
So in deinem Sterben
Bist, mein Herz, auch du:
Gott nur kann dir geben
Wahre Abendruh'.

Die gute Botschaft.
Mel. Der gute Hirte.

1. Laßt die Helden hören
Von dem Liebesrath,
Den der Fürst der Ehren
Längst beschlossen hat,
Daß das Heil erworben
Sei für jedes Herz,
Seit der Herr gestorben
An dem Sündenschmerz!

2. Kommet doch, ihr Helden!
Höret ihr's denn nicht,
Was von Himmelsfreuden
Jesu Liebe spricht?
Teufel nur, die Sünder
Macht Er frei und rein,
Daß sie Gottes Kinder,
Sel'ge Leute sei'n.

40

Kleine Dinge.

Mel. Der gute Hirte.

1. Kleine Tropfen Waffer,
Kleine Körner Sand,
Machen's große Weltmeer
Und das schöne Land.
Und die Augenblicke,
Kleinster Theil der Zeit,
Machen alle Zeiten
Und die Ewigkeit.

2. Und die kleinen Sünden
Bringen oft in Noth,
Machen große Sünder,
Bringen Qual und Tod.
Aber kleine Thaten,
Die aus Lieb' gethan,
Schaffen aus den Himmel,
Auf der Lebensbahn.

Die Heimath der Erlösten.

Worte von J. A. Reitz.

1. Un-fer war-tet ein Land reinfter Freud', Ja, wir können's im Glauben schon
2. Der Gefang der Er- lös- ten erschallt Wie ein Rauschen durch's himmlische

1. fehn—Dort hat Jefus den Sei-nen be-reit' Ei-ne Hei-math so herr-lich und
2. Land Und das Her-ze vor Freu-de stets wallt, Weil die Sün-de dort nicht mehr be-

Chor.

1. schön.
2. kannt. } O es währt   nicht mehr lang,   Bis der

O es währt   nicht mehr lang,

Ba = ter uns dro = ben ver = eint. O es währt—

nicht mehr lang, nicht mehr lang,

nicht mehr lang, Bis die Son = ne der E = wig = keit scheint.

O es währt nicht mehr lang.

3. In den herrlichen Wohnungen dort
Sei Anbetung und Ehre gebracht,
Unserm theuren Erlöser und Hort,
Der die Seinen so glücklich gemacht.
[Chor.

4. In den Himmelsgefilden so schön
Ruhn die Sel'gen in Ewigkeit aus;
Kein Pilger wird da mehr gesehn,
Denn sie sind dort für immer zu Haus.
[Chor.

Sehnsucht nach dem Frühling.

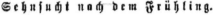

Langsam.

1. O, wie ist es kalt ge = wor = ben Und so trau = rig, öd' und
2. Auf die Ber = ge möcht' ich flie = gen, Möch = te sehn ein grü = nes

1. leer! Rau = he Win = de wehn von Norden, Und die Sonne scheint nicht mehr.
2. Thal, möcht' in Gras und Blumen lie = gen Und mich freun am Sonnenstrahl!

3. Möchte hören die Schalmeien
Und der Heerden Glockenklang,
Möchte freuen mich im Freien
An der Vögel süßem Sang!

4. Schöner Frühling, komm doch wieder!
Lieber Frühling, komm doch bald!
Bring uns Blumen, Laub und Lieder,
Schmücke wieder Feld und Wald!

Am Lebensstrom.

Freudig.

Worte von G. Weiler.

1. An dem lau = tern Kryftall=ftro=me, Wo die Heimaths=lüf = te wehn,
2. Dro=ben, wo die Le=bens=bäu = me An des Stro=mes U = fer blühn.

1. Dort vor un = fers Got=tes Thro = ne,—Freunde wer=den wir uns fehn?
2. Wer = den wir durch Himmels=räu = me Dann im ew'gen Frie = den ziehn.

Chor.

Ja, wir fin=den uns am Strome, Im Heimathland der Se = li = gen droben.

Fin = den uns mit Pal = men und Kro = ne, Ver=klä = ret vor Gottes Thron.

3. Eh wir jenen Strom erreichen,
Schwindet alles Erdenleid.
Schmerz und Tod muß ferne weichen
Droben kennt man nur noch Freud.
[Chor.

4. Denn aus jenes Stromes Fluthen,
Der dem ew'gen Thron entquillt,
Schöpft man eitel Lebensgluthen,
Alles Sehnen wird gestillt.
[Chor.

5. Bald stehn wir an seinen Ufern,
Mit der blutgewasch'nen Schaar.
Wandeln unter Friedenspalmen,
Feiern ew'ges Jubeljahr.
[Chor.

6. Stimmen ein in Himmelschöre,
In der Engel Lobgesang.
Bringen Jesu Preis und Ehre
Unter goldner Harfen Klang.
[Chor.

43

Jesus errettet mich jetzt.

Innig. Worte von E. Gebhardt.

1. { Hört es, ihr Lie-ben, und ler-net ein Wort, Das euch zum
   { Sprecht es mir nach und dann sagt's wei-ter fort: Je-sus er-

Se-gen ge-setzt, }
ret-tet mich jetzt." } Je-sus er-ret-tet mich jetzt,

Je-sus er-ret-tet mich jetzt, Ja, Je-sus er-ret-tet mich

al-le-zeit, Je-sus er-ret-tet mich jetzt!

2. Sind eure Sünden gleich blutroth und schwer,
   Ist das Gewissen verletzt,
   O so sprecht gläubig, (vergeßt es nicht mehr):
   „Jesus errettet mich jetzt!"   [Chor.

3. Wenn euch die Welt mit Versuchung anficht,
   Satan euch nachstellt und hetzt,
   So wiederholt es und fürchtet euch nicht,
   „Jesus errettet mich jetzt!"   [Chor.

4. Wenn euch im Leben manch' Trübsal und Noth
   Thränend die Wange benetzt,
   Sagt nur ganz ruhig im Aufblick auf Gott:
   „Jesus errettet mich jetzt!"   [Chor.

5. Kommt ihr dann hin zu dem finstern Thal,
   O so sprecht jubelnd zuletzt:
   Nun geht's zur Herrlichkeit, freut euch zumal,
   „Jesus errettet mich jetzt!"   [Chor.

4

Der Geber aller guten Gaben.

(P. M. 76, 76, 66, 99.)

1. Was nah' ist und was fer-ne, Den Gott kommt Al-les her,
   Der Strohhalm und die Ster-ne, Der Sper-ling und das Meer.
2. Er läßt die Sonn' auf-ge-ben, Er stellt des Mon-des Lauf,
   Er läßt die Win-de we-hen, Er thut den Him-mel auf.

Al-le gu-te Ga-be Kommt o-ben her von Gott,

Vom schö-nen blau-en Him-mel her-

ab. Vom schö-nen blau-en Him-mel her-ab.

3. Er sendet Thau und Regen,
   Und Sonn'- und Mondesschein,
   Und wickelt reichen Segen
   In jedes Körnchens Keim.
   Chor: Alle gute Gabe ꝛc.

4. Er schenkt uns so viel Freuden,
   Und macht uns frisch und roth;
   Er gibt dem Viehe Weiden
   Und Seinen Menschen Brod.
   Chor: Alle gute Gabe ꝛc.

45

Was gibt es im Himmel zu thun?

(P. M. 12, 9, 12, 9, 66, 96, 69.)

1. Es gibt Et-was für Kin-der im Him-mel zu thun, Kein's ist
2. Da gibt's Vie-les zu ler-nen vom Hei-land, dem Herrn, Wenn sie
3. Von dem Him-mel so schön, ha-ben En-gel zu gebn, Zu den

1. müs-sig in dem schö-nen Land. Da gibt's Lieb' für das Her-ze, und
2. wan-dern im schö-nen Ka-na'n; Und die Leh-rer in dem schö-nen
3. Lie-ben, die auf der Erd' sind; Und es mag auch wohl sein, daß aus

1. Freud' für den Geist, Und Ge-schäf-te für jed' klei-ne Hand.
2. Lan-de so fern, Es sind die, die einst gin-gen vor-au.
3. himm-li-schen Reich'n Un-ser Va-ter wird sen-den ein Kind.

Chor.

Es gibt Et-was zu thun, Es gibt Et-was zu thun, Es gibt

46

Et - was für Kin - der zu thun; In dem herr - li - chen Land, Wo die

Sünd' ist ver-bannt, Da gibt's Et - was für Kin - der zu thun.

Die Zehn Gebote
(P. M. 88, 88, 77, 77.)

1. Durch die Tau-sen - de von Jah-ren Laß den Blick zu - rü - cke se - hen,
2. Sieh! wie Wol-ken ihn um - ge - ben, Hö - re die Trom-pe - te hal-len,
3. Sieh! er füh - ret auf dem Sturmwind Tod und Höll' vor ihm er - zit-tern.

1. Hö - re auf die zehn Ge - bo - te, Wie von Si - na's Berg sie ge - ben.
2. Während Gott selbst von dem Ber - ge Sein Ge - se - tze läßt er - schal - len:
3. Laßt es al - te Welt ver - neh - men, Laßt es eu - er Herz er - schüt - tern-

4. Stehend vor dem finstern Berge,
Israel erbebt und zittert.
Wer wird in der Nähe Gottes
Nicht von seiner Macht erschüttert?
:,: Meinen Sabbathtag—spricht Gott—
Heiligt stets, wie ichs gebot. :,:

5. Gott der Götter, Herr, Jehovah!
Deine Stimme soll man hören
Die zu uns hernieder schallet;
Vater, Mutter sollst du ehren,
:,: Daß du alt wirst und geehrt
In dem Land, das dir bescheert. :,:

6. Lauter donnert jetzt die Stimme!
Höret sie: Du sollst nicht tödten.
Das Gesetz der heil'gen Ehe
Sollst du niemals übertreten.
:,: Stehle nicht des Andern Gut,
Gottes Straf' sonst auf dir ruht. :,:

7. Gebe niemals falsches Zeugniß
Gegen einen deiner Brüder;
Nimmermehr laß dich gelüsten
Deines Nächsten Hab' noch Guter;
:,: Denn der Gott, der zu dir spricht,
Bringt dich einstens vor's Gericht.

Jesus allein. (P. M. 55, 56.)

Zion.
(L. M.)

1. Herr - li - ches Zi - on, hoch er - baut, Herr - lich - ste
2. Herr - li - cher Him - mel, vol - ler Pracht, Herr - li - che

1. Statt, die je ich schaut! Herr - li - che Tho - re, mar - mor -
2. En - gel, groß von Macht, Herr - li - cher Sang ent - zückt das

1. weiß, Herr - li - che Tem - pel Got - tes Preis; Je - sus, der
2. Ohr. Herr - li - che Har - fen, vol - ler Chor! Dort will ich

1. für uns o - pfert' sich. Oeff - net das Mar - mor - thor für mich.
2. lo - ben mei - nen Herrn, Wel - cher die Gläub'gen hö - ret gern.

3. Herrlich für jede Stirn die Kron',
Herrlich und schön der Sieger Lohn,
Herrlich gekleid't die Sel'gen gehn,
Herrlich sind sie, die Jesum sehn. —
Dorthin will ich, dem eil' ich zu,
Dort soll ich finden ew'ge Ruh'.

4. Himmlischer schöner Harfen-Klang,
Herrlich der Engel Lobgesang,
Herrliche Ruh' voll Seligkeit,
Herrlicher Ort voll ew'ger Freud'!
Dort soll ich den Erlöser sehn,
Laßt mich zur Himmelsheimath gehn.

Morgenlied.

Mel. Zion.

1. Mein Gott, die Sonne geht herfür,
Sei Du die Sonne selbst in mir!
:,: Du Sonne der Gerechtigkeit,
Vertreib' der Sünden Dunkelheit. :,:

2. Mein erstes Opfer sei Dein Ruhm,
Mein Herze ist Dein Eigenthum.
:,: Ach kehre gnädig bei mir ein,
Und laß mich Deine Wohnung sein! :,:

3. Gib, daß ich meinen Fuß bewahr,
Und ja nicht mit der bösen Schaar
:,: Hin auf den Weg der Sünder geh,
Noch bei den Spöttern sitz und steh! :,:

4. Herr, leite mich an Deiner Hand,
Und gib mir Weisheit und Verstand,
:,: Daß ich Dich fürchte, lieb und ehr',
Und folge Deines Geistes Lehr'. :,:

5. Schreib' Dein Gesetz in meinen Sinn,
Nimm ganz mich Dir zu eigen hin,
:,: Und schenke mir durch Deine Treu,
Daß ich Dir treu in Allem sei! :,:

6. Hilf, daß ich heut' und alle Tag',
So viel ich noch erleben mag,
:,: Ja, hier und dort in Ewigkeit
Dir diene in Gerechtigkeit. :,:

Gebet am Christtag.

Mel. Zion.

1. Du lieber, heil'ger, frommer Christ,
Der für uns Kinder kommen ist.
:,: Damit wir sollen weis' und rein
Und rechte Kinder Gottes sein. :,:

2. Du Licht vom lieben Gott gesandt,
In unser dunkles Erdenland;
:,: Du Himmelslicht und Himmelsschein,
Damit wir sollen himmlisch sein. :,:

3. Du lieber, heil'ger, frommer Christ,
Weil heute Dein Geburtstag ist,

:,: Drum ist auf Erden weit und breit
Bei allen Kindern frohe Zeit. :,:

4. O segne mich, ich bin noch klein,
O mache mir die Seele rein;
:,: O bade mir die Seele heil
In Deinem reichen Himmelsquell. :,:

5. Daß ich wie Engel Gottes sei,
In Demuth und in Liebe treu,
:,: Daß Dein ich bleibe für und für,
Du heil'ger Christ, das schenke mir. :,:

Frühzeitige Frömmigkeit.

Mel. Zion.

1. O Kinder, sucht schon früh den Herrn;
Er ist euch nah und hilft so gern.
:,: Die früh Ihn suchen, finden Ihn,
Und mit Ihm ewigen Gewinn. :,:

2. Wie schnell kommt oft heran der Tag,
Der Keinem recht gefallen mag.
:,: Wo unsre kurze Gnadenfrist
Für immerdar vorüber ist. :,:

3. Wie manches hat's schon da bereut,
Daß es die schöne Jugendzeit,
:,: Die Zeit des Frühlings und der Saat,
Verträumt, verscherzt, vergeudet hat. :,:

4. O weh! Wie Viele gehn dahin,
In ihrem Welt- und Fleischessinn;
:,: Verzehren ihre Lebenskraft
In Sünde, Lust und Leidenschaft. :,:

5. O weh! Wie Viele stürzen sich
In Noth und Elend jämmerlich,
:,: Und geben dann zur ew'gen Qual,
Anstatt zu Gottes Abendmahl. :,:

6. D'rum Kinder hört: Sucht früh den Herrn,
Jetzt ist Er nah und hilft euch gern.
:,: Die früh Ihn suchen, finden Ihn,
Und mit Ihm ewigen Gewinn! :,:

Kindliches Vertrauen.

Mel. Zion.

1. Mein Vater, der im Himmel wohnt,
Als König aller Engel thront.
:,: Der ist mir nah bei Tag und Nacht
Und gibt auf meine Schritte Acht. :,:

2. Er nährt den Sperling auf dem Dach
Und macht zur Früh' die Vögel wach;
:,: Er schmückt mit Blumen Wald und Flur
Und pflegt die Zierde der Natur. :,:

3. Von meinem Haupte fällt kein Haar,
Mein Vater sieht es immerdar,
:,: Und wo ich auch verborgen wär',
In Herz und Nieren schauet er. :,:

4. O Vater mein, wie gut bist Du!
Gib, daß ich niemals Böses thu';
:,: Mach mich den lieben Engeln gleich
In Deinem großen Himmelreich! :,:

50

Auf die Schulprüfung.

(P. M. 98, 98, 98, 98.)

Des armen Knaben Christbaum.

Mel. Auf die Schulprüfung.

1. Was für ein fröhlich Thun und Treiben
Um Weihnachtsmarkt bis in die Nacht!
Wie funkelt durch erhellte Scheiben
Der schönen Waaren bunte Pracht!
Wer laufen will, muß heut noch laufen,
Daß er den Christbaum schmücken mag,
Wer soll hat, will noch heut verkaufen,
Denn morgen ist Bescheerungstag.

2. Doch sieh, wie mit betrübten Mienen
Dort an der Ecke frosterstarrt.
Beim nahen Gaslicht hell beschienen
Ein Knabe noch des Käufers harrt.
Er hat den Christbaum selbst geschnitten,
Mit saurer Müh im Tannenwald,
Sein schüchtern Auge scheint zu bitten:
„O kauft mir ja, die Nacht ist kalt!

3. „Kauft ab, ihr könnt so lustig lachen,
Ihr habt das Glück und ich die Noth.
Was soll ich mit dem Christbaum machen?
Die Mutter krank, der Vater todt!"
Doch Niemand, der des bleichen Kleinen
Und seines Baums gewahren mag,
Vorbei rennt jeder mit dem Seinen —
Und heut ist schon der letzte Tag!

4. Doch schau, da kommt mit munterem Schritte
In Sammetpelz und Federhut —
Die schöne Mutter in der Mitte —
Ein Kinderpärchen wohlgemuth;
Den Korb gefüllt mit Weihnachtsgaben,
Trabt hinterher des Hauses Knecht: —
„O Mutter, sieh den Baum des Knaben.
Der ist für uns noch eben recht!"

5. Die schöne Mutter zahlte in Eile
Dem Knaben sein zwei Schillingsstück,
Er dankt — und schaut noch eine Weile
Den Frohen nach mit trübem Blick:
Wie wird sein Christbaum morgen funkeln,
Im fremden Haus, im Kerzenschein,
Und ach! im Kämmerlein, im dunkeln,
Wie still wird seine Weihnacht sein!

6. Drum Kinder, wenn bekränzt mit Gaben,
Euch euer Christbaum fröhlich brennt,
Denkt, ob ihr nicht den bleichen Knaben
Und seine kranke Mutter kennt?
Und geht und trocknet ihm die Wangen
Und lernet von dem heil'gen Christ,
Daß zwar vergnüglich das Empfangen,
Doch seliger das Geben ist!

Am Weihnachtsabend.

Mel. Auf die Schulprüfung.

1. Am Weihnachtsbaum die Lichter brennen,
Wie glänzt er festlich, lieb und mild,
Als spräch' er: wollt' in mir erkennen
Getreuer Hoffnung süßes Bild.
Die Kinder stehn mit hellen Blicken,
Das Auge lacht, es lacht das Herz;
O fröhlich, seliges Entzücken!
Die Alten schauen himmelwärts.

2. Zwei Engel sind hereingetreten,
Kein Auge hat sie kommen sehn,
Sie gehn zum Weihnachtstisch und beten,
Und wenden wieder sich und gehn.

Gesegnet seid, ihr alten Leute,
Gesegnet sei, du kleine Schaar!
Wir bringen Gottes Segen heute
Dem braunen wie dem weißen Haar.

3. Zu guten Menschen, die sich lieben,
Schickt uns der Herr als Boten aus,
Und seid ihr treu und fromm geblieben,
Wir treten wieder in dies Haus.
Kein Ohr hat ihren Spruch vernommen,
Unsichtbar jedes Menschen Blick,
Sind sie gegangen, wie gekommen;
Doch Gottes Segen blieb zurück.

Am Morgen.
(P. M. 77, 77.)

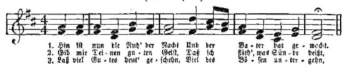

1. Hin ist nun die Ruh' der Nacht Und der   Va - ter hat ge - wacht.
2. Gib mir Dei - nen gu - ten Geist, Daß ich   flieh', was Sün - de heißt.
3. Laß viel Gu - tes heut' ge - schehn, Viel des   Bö - sen un - ter - gehn,

1. Va - ter, steh' so mild und treu, Steh auch   die - sen Tag mir bei.
2. Schütze mich auf mei - ner Bahn, Nimm Dich : mei - ner Lie - ben an.
3. Laß uns froh die Son - ne schaun Und von   Her - zen Dir ver - traun.

5

Die Lilien auf dem Felde.

(P. M. 76, 76, 77, 66.)

1. Seht die Li-lien auf dem Feld, Wie sie wach - sen. blü - hen!
2. Gott, der Herr, rief euch her - vor, Daß die Erd' ihr schmü-det,
3. Auf, mein Herz, sei un - ver - zagt, Wirf auf Ihn die Sor - gen,

1. Sagt, wer hat sie hin - ge - stellt, Oh - ne Sorg' und Mü - hen?
2. Schwingt des Menschen Herz em - por, Nied-rer Sorg' ent - rü - det;
3. Der nach trü - ber Win - ter-nacht Ruft den Früh lings - mor-gen!

1. Wer hat sie so schön ge - macht, Aus-geschmückt mit sol - cher Pracht,
2. Lehrt es gläu-big auf - wärts schaun, E - wig, e - wig Gott ver-traun,
2. Der die Blu-men nicht ver - gißt, Auch mein gu - ter Va - ter ist:

1 Herr - lich son - der - glei - chen? Herr - lich son - der - glei - chen?
2 Blüh'n als Him-mels - blu - me! Blüh'n als Him mels - blu - me!
3. Lob' Ihn, mei - ne See - le! Lob' Ihn, mei - ne See - le!

Die Heimath der Seele.

(P. M. 12, 8, 12, 98.)

Mäßig.

1. Ich will sin - gen ein Lied, von dem herr' - li - chen Land,
2. Denn das Bild je - ner Stät - te im Traum schwebt mir vor,

1. Die Hei - math der Seel' nach der Zeit. Wo kein Sturm je - mals
2. Die Mau - ern von Jas - pis so rein, Und es dünkt mir, als

1. tobt an dem schim - mern - den Strand, Wo vor - bei al - ler
2. könnt' ich mich schwin - gen em - por Zu der himm - li - schen

1.mal 2.mal Ende. f

1. Kum - mer und Leid. Wo vor - bei al - ler Kum - mer und Leid.
2. Hei - math hin - ein. Zu der himm - li - schen Hei - math hin - ein.

3. Und die Bäume des Lebens in Schönheit dort
blühn—
Der Lebensstrom fließt dran vorbei,
Und nicht Tod noch Verderben kommt jemals dorthin,
Wo Sünde auf ewig vorbei;
Wo Sünde auf ewig vorbei.

4. O wie schön wirds doch sein in dem herrlichen
Land,
Wo man keine Thränen mehr weint!
Dort einander zu treffen mit Harfengesang
Und ewiglich bleiben vereint;
Und ewiglich bleiben vereint.

Die Sonntagschule.

(C. M.)

1. Die Sonntag-schu-le ruft mich laut, Wo ich so glück-lich bin, Sie
Chor. O Schu-le, theu-re Schu-le mein, Dich lieb ich ein-zig nur, Laß

1. hat er-quickt und auf-er-baut Mir oft-mals Herz und Sinn.
mich dein gu-ter Schü-ler fein, Stets fol-gen dei-ner Spur.

2. Dort lernt' ich, wie der Heiland ftarb,
Für Sünder, ach, wie ich;
Wie Er den Himmel mir erwarb,
Weil Er am Kreuz verblich. [Chor.

3. So fei denn unfer Dank gebracht,
Und preift in lautem Chor

Ihn, der uns hält durch Seine Macht,
Uns gnädig hebt empor. [Chor.

4. Willkommen, Sonntagschule mein,
O nimm mich liebreich an,
Laß deiner Lehren ftets mich freu'n
Auf meiner Lebensbahn. [Chor.

Zur Sonntagschul'.

Mel. Die Sonntagschule.

1. Zur Sonntagschul', zur Sonntagschul'
Wir eilen, eilen fort,
Um früh zu fein zur Sonntagschul',
Nicht ruhen, bis wir dort. [Chor.

2. Zur Sonntagschul', zur Sonntagschul'
Am heil'gen Tag des Herrn;
Wie lieb ift mir die Sonntagschul'!
Wie köftlich, was ich lern'! [Chor.

3. Zur Sonntagschul', zur Sonntagschul'
Mit munterm Schritt wie gehn,
Wie beugen uns vor'm Gnadenftuhl,
Um Gnade zu erflehn. [Chor.

4. Die Sonntagschul', die Sonntagschul'
Ift Gottes Gärtlein schön;
O, mögen in der Sonntagschul'
Wir, Gottes Rofen, blühn!

Ruf zur Sonntagschule.

Mel. Die Sonntagschule.

1. O, kommet doch, ihr Kinder all,
Zur Sonntagschule heut.
Und macht zu frohem Jubelschall
Das junge Herz bereit! [Chor.

2. Kommt, preiset unfern guten Gott,
Der ftets fo liebreich ift.
Und uns befreit von Sünd' und Tod,
Im Heiland Jefus Chrift. [Chor.

3. Seht, wie der einftens Kinder liebt',
Als Er auf Erden war;
So liebt Er heut, wer nur Ihm gibt
Sein Herze ganz und gar. [Chor.

4. So kommet doch, fo kommet doch
Zu Jefu Chrifto heut!
Heut hört ihr Seine Stimme noch,
Kurz ift die Erdenzeit. [Chor.

Thue recht.

(P. M. 87, 87, 87.)

1. Muth, mein Bru - ter! strauch-le nur nicht! Ist kein Pfad auch
2. Ob dein Weg auch rauh und ö - de, Oh - ne al - les
3. Laß nur al - le Welt da - hin - ten, Denn zum Le - ben

1. oh - ne Licht; Denn ein Leit - stern bleibt dem From - men,
2. Son-nen - licht, Nur vor - an! bist du auch nü - de,
3. hilft sie nicht; Mußt du auch gar viel ent - beh - ren,

Langsamer.

1. Trau' auf Gott und za - ge nicht!
2. Trau' auf Gott und za - ge nicht! } Za - ge nicht!
3. Trau' auf Gott und za - ge nicht!

Za - ge

Langsamer.

Za - ge nicht! Trau' auf Gott und za - ge nicht!

nicht! Za - ge nicht!

4. Folge diesem Leitstern immer,
Wenn auch Finsterniß einbricht.
Laß durch nichts dich irre machen,
Trau' auf Gott und zage nicht!
Zage nicht — zage nicht,
Trau' auf Gott und zage nicht!

5. Wenn dein Lebensende nahet —
Wenn im Tod dein Auge bricht:
Richt' den Glaubensblick nach Oben,
Trau' auf Gott und zage nicht!
Zage nicht — zage nicht!
Trau' auf Gott und zage nicht!

Einladung.

(P. M. 11, 10, 11, 10.)

Solo oder Duett.

1. Komm, tief‑be‑trüb‑te Seel', laß dich er‑qui‑cken, Für dich auf
2. Wand‑rer des Er‑den thals, willst du nicht zie‑ben Mit mir ins
3. See‑le, dein Hei‑land ruft: „will dich er‑re‑ten, Komm an mein

Chor.

1. Gol‑ga‑tha floß heil'‑ges Blut. Flieh, flieh die ar‑ge Welt,
2. bess‑re Land, wo Je‑sus wohnt. Bald siehst du Him‑mels‑licht,
3. lie‑bend Herz, klag mir dein Leid. Komm, ich er‑lö‑se dich,

1. lehr ihr den Rü‑cken, Flie‑be zum Him‑mel, da ist's e‑wig gut.
2. bald siehst du glü‑ben Strah‑len der Son‑ne, in wel‑chen Gott wohnt.
3. brech dei‑ne Ket‑ten, Keh‑re dein Lei‑den in himm‑li‑sche Freud'.'

Mahnung des Herrn.

(P. M. 11, 10, 11, 10, 11, 10, 11, 10.)

Feierlich und mit Ausdruck.

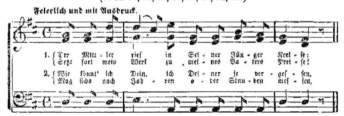

1. { Der Mitt‑ler rief in Sei‑ner Jün‑ger Krei‑se:
   { Setzt fort mein Werk zu mei‑nes Va‑ters Prei‑se!

2. { Wie könnt' ich Dein, ich Dei‑ner je ver‑ges‑sen,
   { Mag sich's nach Jah‑ren o‑der Stun‑den mes‑sen,

1. Ver - geßt mein nicht! Ich meint's mit euch so gut.
Ver - geßt mein nicht! Bald fließt für euch mein Blut.

2. Du mei - ner Kind - heit, mei - ner Ju - gend Freund?
Mein Le - ben, Herr, dies Herz bleibt Dir ver - eint.

1. Hin - auf zu je - nen un - er - forsch - ten Hö - hen Führt mich der
2. Hin - auf zu Dei - nes Him - mels lich - ten Hö - hen Ringt mei - ne

1. Tod von Fin - ster - niß zum Licht. Mein Werk nur bleibt, mein Werk kann nicht ver -
2. Seel' von Fin - ster - niß zum Licht. Mag mei - nen Staub auch einst der Wind ver -

1. ge - ben; Es lebt in euch, denn ihr ver - geßt mein nicht.
2. we - hen, Mir tönt Dein Ruf: Ver - giß, ver - giß mein nicht.

3. Vergeßt Sein nicht, für Wahrheit und für Brüder
Gab Er die Kraft, gibt Er das Leben hin.
Vergeßt Sein nicht! Ihr Seines Leibes Glieder;
Bewahrt ihn rein, des Meisters frommen Sinn!
Wenn Sünd' und Welt euch Strömen gleich ergreifen,
Wenn auch der Feind die Dornen-Krone flicht,
Dann müssen seiner Aussaat Früchte reifen,
Dann hört Sein Wort: Vergeßt, vergeßt mein nicht.

4. Der Du für mich Dich in den Tod gegeben,
Dir schwört das Herz: Herr, Dein vergeß ich nicht
Nein, nicht der Sünde, Dir nur will ich leben
Treu leben Dir, bis einst das Auge bricht!
Herr, stärke mich in der Versuchung Stunde,
Wenn mir die Kraft zum schweren Kampf gebricht.
Dann töne mir das Wort aus Deinem Munde;
Du schwurst, mir treu zu sein, vergiß mein nicht!

Das Abendläuten.
(P. M. 12, 10, 10, 10, 10, 10.)

Ruf die Kinder frühe.

(P. M. 86, 85, 77.)

1. Ruf die Kin-der frü-he, Mut-ter, Schon das Vög-lein singt;
2. Ruf die Kin-der frü-he, Va-ter, Heut muß viel ge-schehn;

1. Schon geht auf die schö-ne Son-ne, Die den Tag uns bringt.
2. Ruf sie in der Mor-gen-stun-de, Laß nicht Zeit ver-gehn.

Duett.

1. Ruf: „Schon ist der Tag ja da, Bringt ein neu Hal-le-lu-jah!"
2. Was man in der Frü-he thut, Dar-auf Got-tes Se-gen ruht.

Chor.

1. Ruf: „Schon ist der Tag ja da, Bringt ein neu Hal-le-lu-jah!"
2. Was man in der Frü-he thut, Dar-auf Got-tes Se-gen ruht.

3. Ruft die Kinder frühe, Lehrer,
Sie zu suchen lehrt,
In der Frühe ihrer Jugend
Jene Perl' von Werth.
Frühe führet sie zum Herrn,
Der die Kinder hat so gern.

4. Ruf die Kinder frühe, Hirte,
Von dem breiten Weg;
Führ' die Lämmer Deiner Heerde
Auf den schmalen Steg.
Ruf sie in der Jugendzeit,
Für den Himmel sie bereit'.

60

Gebet.

(P. M. 87, 87.)

1. Je - fu du bist unf-re Freu-de, Ja der be-fle Mu-terfreund; Führe sie stets auf
2. Ach, wie wollten dich gern lie-ben, Nicht nur so blos mit dem Mund, Sondern mit den

1. sü-fer Wei-de, Weil du's gar mit ih-nen meinß, Weil du's gut mit ih-nen meinst.
2. reinsten Trieben Aus dem tief-sten Herzens-grund, Aus dem tief - sten Her-zens-grund.

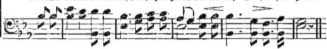

3. Schenk' uns dazu doch die Kräfte,
Ohne dich könn'n wir nichts thun;
Zu dem seligen Geschäfte:
:,: Nur in dir allein zu ruhn. :,:

4. Laß uns hier an diesem Orte
In der lieben Sonntagsschul',
Lauschen deiner Jesus-Worte,
:,: Die du sprichst von deinem Thron. :,:

5. Lehre uns die Sünde hassen,
Gieb uns Gnad' und Kraft dazu;
Laß im Glauben dich erfassen,
:,: Unsre Herzen ändre du. :,:

6. So wird unser ganzes Leben,
Von der Wiege bis zum Grab,
Zeugniß von dem Glauben geben,
:,: Den du uns geschenket hast. :,:

Die Abendzeit.

Mel. Gebet.

1. Lieblich, dunkel, sanft und stille
Ist die dunkle Abendzeit;
Möcht' mein Seelengrund und Wille
:,: Doch Ihr gleichen allezeit. :,:

2. O dann wird das Weltgetümmel
Wie ein Traum vorüberwehn,
Und ein selig süßer Himmel
:,: Mir in dem Gemüthe stehn. :,:

3. Ach, was frommen uns die Nächte
Ohne dich und deine Huld?
Süße schläft nur der Gerechte
:,: Denn er ruhet ohne Schuld. :,:

4. Friede Gottes heißt das Kissen,
Das die Seele recht erquikt,
Während ein beflekt Gewissen
:,: Auch im Traume leicht erschrickt. :,:

Das Schiff der Gnade.

(P. M. 11, 77, 11, 76, 78, 67.)

1. Das Schiff der Gnade se - gelt, se - gelt, se - gelt, Das Schiff der Gnade se - gelt,
Wer dorthin wünscht zu ge - hen, ge - hen, ge - hen, Wer dorthin wünscht zu ge - hen,

Chor.

1. Nach dem schönen Ka na - an.
Wa - che ei - lend sich her - an.
Glo - rie, Hal - le - lu - jab! All' an Bord sie

1. fröh-lich fin - gen, Glo - rie, Hal - le - lu - jab! Hal - le - lu - jab sei dem Lamm!

2. Schon viele Hunderttausend, tausend, tausend—
Schon viele Hunderttausend
Sind dort glücklich angelangt;
Und Tausende noch segeln, segeln, segeln,
Und Tausende noch segeln
Nach dem wunderschönen Land.   [Chor.
3. Die Himmelswinde treiben, treiben, treiben—
Die Himmelswinde treiben
Schnell das wackre Schiff voran.

Hört, wie an Bord sie singen, singen, singen—
Hört, wie an Bord sie singen,
Ehre, Ehre sei dem Lamm!   [Chor.
3. Kommt, geht mit uns nach Zion, Zion, Zion—
Kommt, geht mit uns nach Zion
Durch das Trübfalsmeer der Zeit.
Wie werden wir uns freuen, freuen, freuen—
Wie werden wir uns freuen
Dann in alle Ewigkeit.   [Chor.

Der himmlische Vater.

(P. M. 65, 65.)

1. Aus dem Him - mel fer - ne, Wo die Eng - lein sind,
2. Hö - ret sei - ne Bit - te Treu bei Tag und Nacht,

1. Schaut doch Gott so ger - ne Her auf je - des Kind.
2. Nimmt's bei je - dem Schrit - te Vä - ter - lich in Acht.

3. Gibt mit Vaterhänden
Ihm sein täglich Brot,
Hilft an allen Enden
Ihm aus Angst und Not.

4. Sagt's den Kindern allen,
Daß ein Vater ist,
Dem sie wohlgefallen,
Der sie nie vergißt.

62

Der schöne Platz.

(L. M.)

geb' so gern Zur Sonn-tag-ſchul' am Tag des Herrn. Ich

geb' so gern, ich geb' so gern Zur Sonntag-ſchul' am Tag des Herrn.

Des Herzens Luſt.

Mel. Der ſchöne Platz.

1. Die Schul' iſt meines Herzens Luſt;
Dir dank ich Gott aus voller Bruſt!
Daß Du ſie gnädig mir verliebn,
In Deinem Dienſt mich zu erziehn.   [Chor.

2. Noch herrſcht auf Erden weit und breit
Des Heidenthumes Dunkelheit,
Wo groß die Kinderſchaar noch iſt,
Die nicht der Schule Glück genießt.   [Chor.

3. Du zeigſt mich Millionen vor,—
Drum heb ich Herz und Händ' empor,
Und danke Dir und bitte Dich:
Beglücke jedes Kind, wie mich.   [Chor.

4. Gib jetzt auch, wo der Unterricht
Auf's Neu' beginnt, mir Kraft und Licht;
Mach, Jeſu! ihn mir ſegensreich,
Damit ich Deinem Blute gleich.   [Chor.

Der Entſchluß.

Mel. Der ſchöne Platz.

1. Weh', wer die Schule frech verſäumt!
Weh', wer darin die Zeit verträumt!
Nicht faßt und hält des Lehrers Wort,
Es nicht beherzigt immerfort.   [Chor.

2. Auf meines Lehrers Unterricht
Zu merken, iſt ſtets meine Pflicht,
Damit ich fromm und weiſe werd',
Geſchickt zum Himmel ſchon auf Erd'.   [Chor.

3. Mein Lehrer ſoll ſich meiner freun,
Ich will ihm willig folgſam ſein.
Und fehl' ich jemals wider ihn,
Nicht ruhen, bis er mir verziehn.   [Chor.

4. Ich will auch gegen ihn geſinnt
Zeitlebens bleiben als ein Kind,
Und zeugen dort vor Gottes Thron
Von ſeinem Fleiß, zu ſeinem Lohn.   [Chor.

Wann kommt das Wiedersehn?

1. Wann kommt das Wie-der-seh'n? Hier viel-leicht nim-mer!
2. Ich weiß den Frie-dens-ort. O Hoff-nungs-schim-mer!

1. Wo wird der Frie-de weh'n Um uns auf im-mer? Hier
2. Kein Schei-den gibt's mehr dort; Nein, nim-mer, nim-mer! Dort

1. geht so man-ches-mal Ein Herz durch's To-des-thal Und
2. ist der be-ste Freund, Der es so gut ge-meint Und

1. lich-tet uns-re Zahl; Ach! und kommt nim-mer! —
2. uns mit Gott ver-eint Für im-mer, im-mer.

3. D'rum, wenn die ganze Welt
Einst fällt in Trümmer,
Der Arm des Herrn uns hält,
Er läßt uns nimmer.
Er hat ein Haus gebaut,
Das noch kein Aug' geschaut.
Wer auf den Herrn vertraut,
Wohnt dort für immer.

4. Bald kommt das Wiederseh'n,
Dann kommt's für immer.
Wenn wir in Zion steh'n,
Scheiden wir nimmer.
O Jesu, wir sind Dein,
Mach' unfre Herzen rein
Und laß uns bei Dir sein
Für immer, immer!

Wer ist wie Jesus?

Knaben. **Mädchen.**

1. Wen sandte Gott, zu ret=ten mich? Den Heiland, um zu opfern sich.
2. Und warum floß Sein theures Blut? Zu ma=chen un=sern Schaden gut.
3. Und hielt Ihn denn des To=des Hand? Am drit=ten Tag Er auf=erstand.

Knaben. **Mädchen.**

1. Warum kam Er aus Himmelshöh'n, Aus Lieb' zu Sün=dern ist's ge=schehn.
2. Und soll auch ich ge=ret=tet sein? Von Sündern will Er dich be=frei'n.
3. Und wohin nahm Er sei=nen Lauf? Er fuhr zu Gott gen Him=mel auf.

Chor.

ff

Wer ist wie Je=sus ge=treu auch im Tod? Er starb für dich, Er starb für mich, Er

starb zu zie=hen uns zu sich, O, wer ist wie Jesus ge=treu auch im Tod?

4. Und ist Er denn auch jetzt noch dort?
   Er lebt und bittet immerfort.
   Was bittet Er denn, und für wen?
   Daß du mögst zu dem Vater gehn.
   [Chor.

5. Und darf auch ich zu Ihm hinnahn?
   O ja, Er nimmt die Sünder an.
   Nimmt Er die armen Sünder an,
   So komme, wer nur kommen kann.
   [Chor.

66

Das Gebet des Herrn.

(P. M. 78, 78, 77.)

1. Unfer Bater beten wir,
   Danlend naben wir uns Dir,
2. Zu uns tom - me, Herr! Dein Reich,
   Daß wir, Deinem Soh - ne gleich,

Schaue Hö - re
Daß Dein Dei - nem

1. buld - reich auf uns nie - der,
   gnä - dig uns - re Lie - der.
2. Him - mel sei auf Er - den;
   Wil - len folg - fam wer - den,

Dei - ner wol - len
Folg - fam wie der

1. wir uns freu'n, Hei - lig fell Dein Na - me fein!
2. höh' - re Geift, Der Dich rein und hei - lig preift.

3. Gib uns. Herr, nach Deiner Huld,
Was uns nöthig ift zum Leben.
Innig reut uns unfre Schuld,
Doch wirft Du fie uns vergeben,
Wenn dem Nächften wir verzeihn
Und der Frömmigfeit uns weihn.

4. In Verfuchung führe uns nicht,
Hilf, daß wir nicht unterliegen,
Gib die Kraft, die uns gebricht,
Böfe Lüfte zu befiegen,
Bater, fteh uns gnädig bei,
Mach uns von der Sünde frei.

5. Ach, des Uebels, Gott, ift viel,
Das uns auf der Erde drücket!
Doch Du ftecfft der Noth ein Ziel,
Schicft den Tod, der uns entrücket
Aus dem Elend diefer Zeit
In das Reich der Seligfeit.

6. Wer mit fefter Zuverficht
Glaubensvoll in Jefu Namen
Diefe fieben Worte fpricht,
Kann mit Freuden fagen: Amen!
Amen, ja es wird gefchehn,
Was wir fo von Gott erflehn.

Pilger = Lied.

(P. M. 85, 85, 88, 85.)

Knaben.

1. Wo-hin, Pil - ger, geht die Rei - fe, Je - ber, Stab in Hand?
2. Fürchtet ihr euch nicht so ein - fam Und so schwach im Weg?

Mädchen.

1. Fröh - lich in ge - schleff'-nem Krei - fe Hin zum fel' - gen Land;
2. Nein, gott-lob, wir find nicht furcht-fam, Gott be - wahrt den Steg;

Chor.

1. Ue - ber Thal und Berg wir ge - hen, Vor des Kö - nigs Thron zu fte - hen,
2. Christus fteht uns auch zur Sei - te, En - gel find in dem Ge - lei - te,

1. Vor des Kö - nigs Thron zu fte - hen, In dem bef - fern Land.
2. En - gel find in dem Ge - lei - te, Si - cher ift der Weg.

3. Was erwartet ihr Colonnen,
Dort in jenem Land?
Weiße Kleider, goldne Kronen
Von des Heilands Hand;
Trinken aus den Crpstallftrömen,
Jefu Gnade preifen, rühmen,
Jefu Gnade preifen, rühmen
Wir in jenem Land.

4. Dürfen wir nicht mit euch gehen
Hin zu jenem Land?
Freilich! Herzlich willkomm, willkomm,
Unferm kleinen Band;
Kommt nur eilend mit Verlangen,
Jefus wird euch gern empfangen,
Jefus wird euch gern empfangen
In dem beffern Land.

6

Das offene Thor.

1. Ge = öff = net steht für mich ein Thor, Durch die = ses seh' ich
2. Dies Thor, es läs = set Al = le ein, Ein je = des Volk der

1. strahlen Des Heilands Lie = be mild her = vor Aus sei = nen Wun = den=
2. Er = den, Ob Reich, ob Arm, ob Groß, ob Klein, Die se = lig wol = len

Refrain.

1. maa = len.
2. wer = den. } Er = barmung, wie er = faff' ich dich? Ge = öff = net ist dies

Thor für mich? Für mich, für mich, Ge=öff=net auch für mich!
Für mich, für mich,

3. Dring durch dies offne Thor hinein,
   Troß'n auch der Feinde Schaaren,
   Das Kreuz soll deine Krone sein,
   Wirst Glauben du bewahren. [Refrain.

4. An Jordans Ufern legst du ab
   Dein Kreuz, der Wallfahrt Zeichen;
   Der dir dies Kreuz zur Bürde gab,
   Wird dort die Krone reichen. [Refrain.

69

Wirket, denn die Nacht kommt.

1. Auf, denn die Nacht wird kommen, Auf, mit dem jungen Tag, Wirket am frühen Morgen, Eh's zu spät sein mag! Wirket im Licht der Sonnen, Fanget bei Zeiten an, Auf, denn die Nacht wird kommen, Da man nicht mehr kann!

2. Auf, denn die Nacht wird kommen,
Auf, wenn es Mittag ist,
Weihet die besten Kräfte
Dem Herrn Jesu Christ!
Wirket mit Ernst, ihr Frommen,
Gebt alles Andre d'ran;
Auf, denn die Nacht wird kommen,
Da man nicht mehr kann.

3. Auf, denn die Nacht wird kommen,
Auf, wenn die Sonne weicht,
Auf, wenn der Abend mahnet,
Wenn der Tag entfleucht!
Auf, bis zum letzten Zuge,
Wendet nur Fleiß daran,
Auf, denn die Nacht wird kommen,
Da man nicht mehr kann!

Beim Erwachen.

(P. M. 76, 76, 76, 76.)

Munter.

1. Er-wacht in neu-er Stär-ke, Be-grüß' ich, Gott, Dein Licht,
2. Da floß aus Dei-ner Fül-le Er-qui-ckung un-be-merkt;
3. Mit hei-term Aug' und sin-nend Geht nun der Mensch und schafft,

1. Und wend' auf Dei-ne Wer-ke Mein fro-hes An-ge-sicht.
2. Wir la-gen sanft in Stil-le, Auf-ath-mend und ge-stärkt.
3. Sein Ta-ge-werk be-gin-nend, Voll Lust und jun-ger Kraft.

1. Wir fehl'r-ten All' er-mat-tet Und sehn-ten uns nach Ruh';
2. Bald hell-te sich die Frü-he In lieb-lem Mor-gen-web'n.
3. Gott, Dei-ne Son-ne ra-get, Und strahlt uns Lieb' und Macht!

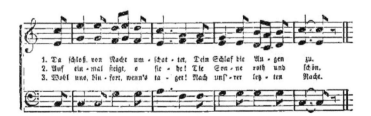

1. Da schloß von Nacht um-schot-tet, Dein Schlaf die Au-gen zu.
2. Auf ein-mal steigt, o sie-he! Die Son-ne roth und schön.
3. Wohl uns, hin-fort, wenn's ta-get! Nach uns'-rer letz-ten Nacht.

Auf den 4. Juli.

Mel. Beim Erwachen.

1. Im trauten Jugendkreise
Stehn wir versammelt hier,
Auf sinnlich frohe Weise
Zu danken, Vater, Dir,
Mit freudigem Gemüthe
Und froher Dankbarkeit
Für Deine große Güte,
Die segnend uns erfreut.

2. Heut, heut an diesem Tage
Erfreu sich jedes Herz;
Es schweige jede Klage,
Vergessen sei der Schmerz.
Geburtstag unsrer Freiheit!
Sei uns stets lieb und werth,
Bis endlich Frei- und Gleichheit
Beglückt die ganze Erd'.

3. Schütz ferner, Gott, wir bitten,
Schütz unser liebes Land;
Paläste wie auch Hütten,
Und jeden Bürgerstand.

Vor Unglück und Gefahren
Und jeder andern Noth
Wollst Du uns doch bewahren,
Du, Zions starker Gott.

4. Daß unser Volk Dich liebe,
Gib ihm ein frommes Herz,
O daß es treu Dir bliebe!
Sonst folgen Noth und Schmerz.
Laß Gottesfurcht gedeihen,
Und Recht im Schwange gehn,
Daß sich die Frommen freuen.
Laß, Vater, es geschehn!

5. Columbia, Land der Freien,
Mein liebes Vaterland!
Mögst ferner du gedeihen,
Geschützt von Gottes Hand!
Mag über dir stets wehen
Der Freiheit Sternpanier
Und nie mehr untergehen,
Mein Land, dies wünsch ich dir!

Der kommende Tag.

Mel. Beim Erwachen.

1. Der Tag ist am Erscheinen,
Es weicht die dunkle Nacht,
Und Menschenkinder weinen,
Vom Sündenschlaf erwacht.
Schon fliegt über Meere
Die Botschaft weit und breit:
Es treten Völkerheere
Für Zion in den Streit.

2. Gleich Thau und Regen feuchtet
Ein Gnadenstrom uns an,
Und herrlicher beleuchtet
Seh'n wir die Himmelsbahn.
Erhört wird jede Bitte,
Die auf zum Throne geht,
Und sanft wird unsre Mitte
Vom Friedenshauch durchweht.

3. Seht, wie der Heiden Menge
Zu unserm Gott sich kehrt,
Und man schon Lobgesänge
Von tausend Zungen hört!
Vom Heiland auserkoren,
Zu tragen seine Schmach,
Beschaun wir, neugeboren,
Ein Volk auf Einen Tag.

4. Du Strom des Heiles fließe
In alle Welt hinaus,
Und auf die Völker gieße
Die Segensfülle aus.
Fließ hin, bis dort am Throne
Man preist, was hier geschah,
Und es im Jubeltone
Erschallt: „Der Herr ist da!"

Frühlingslied.

Mel. Beim Erwachen.

1. Der Frühling kehret wieder,
Belebt wird die Natur,
Schon tönen muntre Lieder
Auf grüner Au' und Flur,
Der Vöglein Lobgesänge
Steigt tausend dort empor,
Und ihre süßen Klänge
Erfreuen Herz und Ohr.

2. Voll Wohlgeruch und Wonne,
In ihrem bunten Kleid,
Enthüllt im Schein der Sonne
Die Blume ihr Geschmeid'.

Der Tauben sanftes Girren,
Der Vögel Lobgesang,
Der Käfer buntes Schwirren
Bringt Gott dem Schöpfer Dank.

3. O Schöpfer meines Lebens!
Für Deine Gütigkeit
Will ich Dich froh erheben,
In meiner Jugendzeit.
Der Frühling meines Lebens
Sei Dir, o Herr, geweiht,
Damit ich nicht vergebens
Die schönste Zeit vergeud'.

Der Schüler froher Kreis.

(P. M. 11, 10, 11, 10.)

Belter.

1. Fröh - lich ver - ei - net in herz - li - cher Lie - be, Schlie - ßen wir
2. Treu faßt das Tag - werk der Ju - gend uns trei - ben, Vie - les zu

1. Kin - der den freund - li - chen Kreis; Hier uns zu sam - meln mit
2. ler - nen in flüch - ti - ger Zeit; Nim - mer in Träg - heit da -

1. her - zi - gem Trie - be, Köst - li - che Schä - tze mit Mü - he und
2. hin - ten zu blei - ben, Vor - wärts zum Zie - le, es ste - het nicht

1. Fleiß; Köst - li - che Schä - tze mit Mü - he und Fleiß.
2. weit, Vor - wärts zum Zie - le, es ste - het nicht weit.

3. Dankbar und liebend dem Lehrer begegnen,
Der sich uns widmet mit Müh' und Geduld;
Das wird beglücken, die Arbeit uns segnen,
:,: Das ist des Schülers stets bleibende Schuld. :,:

4. Sind wir von hier dereinst alle ins Leben
Früher und später gewandert hinaus,
Mögen die Tage uns oft noch umschweben,
:,: Die wir verlebten im heiligen Haus. :,:

Ein naher Freund.

(P. M. 87, 87, 87, 87.)

Des Christen Heimath.

(P. M. 12, 12, 12, 11, 11, 12, 12.)

1. Eile fort, eile fort — o, du Gläub'ger eil' fort,
2. Eile fort, eile fort; warum willst du verziehn?
3. Eile fort, eile fort — denn bald kommst du nach Haus,

1. Vom Gefängniß entfliehe zum sicheren Port.
2. Komm und schwing dich empor zu den seligen Höh'n,
3. Zu dem Land, wo die Pilger auf ewig ruhn aus.

1. Engel-Geister sind da, dir zu reichen die Hand, Und dich zu ge-
2. Wo dein Heiland, das Heil, deine Sonne, dein Licht, In göttlichem
3. Zu der herrlichen Statt, wo der Lebens-baum quillt, Wo Christus dein

Chor.

1. leiten zum herrlichen Land, Wo Thränen und Leiden nicht
2. Glanz durch die Dämmerung bricht; Wo Sünde und Satan nicht
3. Heimweh auf ewig dann stillt, Und all keine Hoffnung wird

75

Verlangen nach Gott.

(P. M. 87, 86, 67.)

3. Gehe nicht vorbei, Erlöser,
Lehr' mich trauen fest auf Dich;
Mache mein Verlangen größer;
Da Du rufest, ruf' auch mich. [Chor.

4. Gehe nicht vorbei, o Tröster;
Geist des Lichts, erbarme Dich.
Laß auch ich sei ein Erlöster,
Drück' Dein Siegel auch auf mich. [Chor.

76

Kreuz und Krone.

(L. M. Doppelt.)

2. Vor uns liegt eine Wüstenei,
Doch wenn wir einmal drüber sind,
So kommen wir nach Kanaan,
Wo alle Gotteskinder sind.
Die lieblichen Gefilde dort
Sind unser Erbtheil immerfort.
Wenn wir dort sind, wenn wir dort sind,
:,: Wie süß die Ruh', wenn wir dort sind. :,:

3. Hier tragen wir das Kreuz, allein
Den Weg ging unser Herr uns vor
Und unter Spott und Hohn und Pein
Schwebt uns sein theures Bild bevor.
Wenn wir einst dort, gibt Gottes Sohn,
Für's Kreuz, uns eine Ehrenkron'.
Wenn wir einst dort, wenn wir einst dort,
:,: Uns wird die Kron', wenn wir einst dort! :,:

Die Führer der Jugend.

Mel. Kreuz und Krone.

1. Horch, wie das Wort der Liebe klingt,
Wenn dich der Mutter Arm umschlingt,
Wenn ihrer Wange Roth erglüht
Und Freude an ihr Herz dich zieht.
Fühl', wie das Herz des Vaters schlägt,
Der treulich seine Kinder pflegt,
Wie süß der Ernst des Wortes klingt,
:,: Das dir des Vaters Warnung bringt. :,:

2. Sieh, Jugend, deinen wahren Freund,
Den Lehrer, der's so redlich meint;
Nimm willig seine Lehren an,
Befolge sie auf deiner Bahn.
Und was der liebe Heiland spricht,
O Jugend, o vergiß es nicht.
Er ist der Bern, das Lebensbrod,
:,: Zu dir im Unglück Schild und Hort. :

Bitte um ein reines Herz.

Mel. Kreuz und Krone.

1. Ein reines Herz, Herr, schaff' in mir,
Schleuß zu der Sünde Thor und Thür,
Vertreibe sie und laß nicht zu,
Daß sie in meinem Herzen ruh'.
Dir schließ ich auf des Herzens Thür',
Ach komm', und wohne Du bei mir,
Treib' all' Unreinigkeit hinaus
:,: Und mache Deinen Tempel draus.

2. Laß Deines guten Geistes Licht
Und Dein hellglänzend Angesicht
Erleuchten mir Herz und Gemüth,
O Brunnen unerschöpfter Güt'!
Und mache kann mein Herz zugleich
An Himmelsgut und Segen reich,
Gieb Weisheit, Stärke und Verstand
:,: Aus Deiner milden Gnadenhand. :,:

Heimgang.

(Kann als Grablied benutzt werden.)

(L. M.)

1. Im Herrn ent-schla-fen, sü-ße Ruh'; Er schließt des Mü-den Au-ge zu;
2. Im Herrn ent-schla-fen, se-lig ist, Wer hier schon Fried' in Gott ge-nießt;

1. Kein Feind die Seel' - gen dort an - ficht, Sie wandeln vor dem Herrn im Licht.
2. Er singt auch in der letz-ten Noth: O, wo ist nun dein Sta-chel, Tod?

3. Im Herrn entschlafen, auch für mich
Der Himmel einst wird öffnen sich,
Wenn ich nur treu im Glauben bin
So führt mich Gott zur Heimath hin.

4. Im Herrn entschlafen, Jedermann
Die Himmelsheimath finden kann;
O daß im Licht doch alle Welt
Möcht wandeln, wie's dem Herrn gefällt.

Das Sternenbanner.

(P. M. 11, 13, 11, 13, 11, 11, 11, 12.)

1. O! sagt, könnt ihr seh'n, in des Morgenroth's Strahl, Was so stolz wir im
Die Ster-ne, die Strei-fen, die we-hend vom Wall, In dem schre-li-chen

schei-ten-den A-bend-roth grüß-ten? Ja, es flatt-re die Fahn' in
Kampf uns den An-blick ver-süß-ten?

herr-li-cher Pracht, Beim Leuch-ten der Bom-ben durch dun-le-le Nacht.

Chor.

O! sagt, ob das Ban-ner mit Ster-nen be-sä't,

cresc.   ff

Ue-ber'm Lan-de der Frei-en und Bra-ven noch weht?

79

2. Vom Strand aus zu sehn durch die Nebel der See,
Wo die Feindesschaar ruhet in brohendem Schweigen,
Was ist's, daß die Wind' auf befestigter Höh'
Mit so neckendem Weh'n bald verhüllen, bald zeigen?
Seht jetzt faßt es der Sonn' hell leuchtenden Strahl,
Jetzt scheint es vom Berge, jetzt weht's über's Thal,
Gewißlich das Banner mit Sternen besä't
Ueber'm Lande der Freien und Braven noch weht.

3. Wo Männer für Freiheit und das Vaterland
Fest vereiniget stehen, da sendet von Oben
Den Kämpfern errettend die mächtige Hand.
Und die Freien, die müßen den Vater dort loben.
Unsre Sach' ist gerecht, auf Gott wir vertrau'n,
Drum sei auch die Loosung, auf Ihn wir fest bau'n,
Und siegreich das Banner mit Sternen besä't,
Ueber'm Lande der Freien und Braven noch weht.

Die Andachtszeit.

(L. M. Doppelt.)

Langsam.

1. Ge - be - tes An - dacht; sü - ße Zeit! Sie ruft mich von der Sor - gen - welt.
D.C. Ist oft ent - gan - gen Sa-tans List, Wann ich dich üb - te, sü - ße Pflicht.

Führt mich zu mei - nes Va - ters Thron. Ihm all mein Seh - nen sund zu thun.
Ist oft ent - gan - gen Sa-tans List, Wann ich dich üb - te sü - ße Pflicht.

Ende.

In's Le - bens schwe-rer Lei-bens-zeit Wird' oft mein wun-des Herz ge - heilt.
D.C.

2. O sel'ger Andacht süße Stund'!
Trag meine Bitt' zu Ihm empor,
Der liebend wartet auf mein Flehn
Und freundlich spricht: „Es soll geschehn.‟
Weil Er mir ruft: „Suche mich,‟
So komm ich froh, der Gnad' gewiß;
:,: Wirf meine Sorg' und Last auf Ihn.
Du sel'ge Stunde, bringst Gewinn! :,:

3. Drum heil'ge Andacht, süße Zeit!
Laß mich hier Deines Trostes freu'n,
Bis kalt von Piega's lichter Höh'
Das Land ich seh und heimwärts geh;
Die Kette bricht, der Geist sich schwingt,
Wo mir die Lebenskrone winkt,
:,: Und jauchze freudig durch die Höh':
O sel'ge Stund'; atje, atje! :,:

Gesang für Jesum.

(P. M. 66, 87, 76, 77.)

1. Mein Ge-fang fei Je-fu, Mei-nem Hart be-rei-tet; Der
2. Kann ich je-mals fal-len, O-ber mich ver-ir-ren, So

1. mich auf mei-nem Pil-ger-weg Bis hie-her hat ge-lei-tet.
2. lang mein Lied für Ihn er-klingt, Den lie-be-vol-len Hir-ten?

Chor.

Für Je-fum helft mir fin-gen, Jetzt und al-le Zei-ten! Die-

welt Er und er-lö-fet, Der Herr der Heer-lich-kei-ten.

2. Ich will Jefum preifen,
Seinen Namen loben.
Dies foll die fchönfte Mufit fein,
Bis ich Ihn feh' tort oben.   [Chor.

3. Ihm will ich ftets fingen,
Ihn auch einft anbeten,
Wenn mit der Auserwählten Zahl
Wie alle vor Ihn treten.   [Chor.

Die muthige Schaar.

(P. M. 85, 85, 66, 66.)

1. Wir zie - ben in den heil' - gen Krieg, Käm-pfend für den Herrn!
2. Der Haupt - mann sei Herr Je - sus Christ, Käm-pfend für den Herrn!
3. Wir strei - ten ge - gen Sünd' und Tod, Käm-pfend für den Herrn!

1. Der gnä - dig uns ver - hilft zum Sieg, Käm-pfend für den Herrn!
2. Durch die - ses Le - bens kur - ze Frist, Käm-pfend für den Herrn!
3. Zum Prei - se des Gott Ze - ba - oth, Käm-pfend für den Herrn!

Wir wir - ken, bis Er kommt. Wir wir - ken, bis Er kommt,

Wir wir - ken, bis Er kommt, Und dann ruhn wir zu Haus.

4. Am Ende unsrer Lebensbahn,
   Kämpfend für den Herrn,
   Zieh'n freudenvoll wir himmelan,
   Kämpfend für den Herrn. [Chor.

5. Und unsre Lieben stehen dort
   An dem Heimathsstrand.
   Auch Jesus winkt zum Friedensport
   An dem Heimathsstrand. [Chor.

82

Lob des Heilandes.

(P. M. 11, 11, 11, 11, 11, 11.)

Duett.

1. O laßt uns den fremd-li-chen Hei-land er-höhn! Ein kind-li-ches
2. Eh' wir Ihn noch kann-ten, hat Er uns ge-liebt, Und wenn uns was

Instrument.

1. Lal-len des Dan-kes ist schön! Wie dort Sei-ner En-gel hoch hei-li-ges
2. fehl-te, so hat's Ihn be-trübt, Er schen-ket uns Vä-ter und Müt-ter zur

Chor.

1. Chor, So hö-ret auch dan-ken-de Kin-der Sein Ohr,
2. Pfleg', Und Leh-rer, zu fin-den den himm-li-schen Weg. Wie ge-ben Ihm

Eh-re, weil Er uns so nah, Denn Ihm ge-bührt Eh-re und Hal-le-lu-jah!

3. Er bauet uns Schulen, zu lernen darin
Die göttliche Weisheit, den himmlischen Sinn.
Er rufet: „Ihr Kinder, kommt, hört mir zu;
So bring ich euch Alle zur seligen Ruh'."

4. Drum hält Er zum Lernen, zur Arbeit uns an.
Ein Jedes lern gerne und schaff, was es kann;
Es nahet ein Sommer, dann kommet die Ernt'
O selig, wer Gutes gesä't und gelernt!

83

Zur Krippe!

Mel. Lob des Heilandes.

1 Ihr Kinderlein, kommet, o kommet doch all'!
Zur Krippe her kommet in Bethlehems Stall,
Und seht, was in dieser hochheiligen Nacht
Der Vater im Himmel für Freude uns macht.
[Chor.

2. O seht in der Krippe, im nächtlichen Stall,
Seht hier bei des Lichtleins hellglänzendem Strahl,
In reinlichen Windeln das himmlische Kind,
Viel schöner und holder, als Engel es sind.
[Chor.

3. Da liegt es, ihr Kindlein! auf Heu und auf Stroh;
Maria und Joseph betrachten es froh;
Die redlichen Hirten knien betend davor,
Hoch oben schwebt jubelnd der Engelein Chor.
[Chor.

4. O beugt, wie die Hirten, anbetend die Knie,
Erhebet die Händlein : und danket wie sie!
Stimmt freudig, ihr Kinder — wer wollt' sich nicht freu'n!
Stimmt freudig zum Jubel der Engel mit ein.
[Chor.

5. O betet: Du liebes, Du göttliches Kind,
Was leidest Du Alles für unsere Sünd'!
Ach, hier in der Krippe schon Armuth und Noth,
Am Kreuze dort gar noch den bittersten Tod!
[Chor.

6. O nimm unsre Herzen zum Opfer denn hin;
Wir geben sie froh Dir in kindlichem Sinn.
O mache sie heilig und selig, wie Deins,
Und mach sie auf ewig mit Deinem in Eins!
[Chor.

Der große Schatz.

Mel. Lob des Heilandes.

1. Die Bibel, die Bibel, kein Schatz ist ihr gleich,
Ihr Inhalt enthüllet der Herrlichkeit Reich;
:,: Sie kündet Erlösung, sie öffnet die Thür'
Den Reichen, den Armen zur Seligkeit hier. :,:

2. Die Bibel, die Bibel, das himmlische Licht,
Das Dunkel des Lebens und Todes durchbricht,

:,: Sie mahnt uns: Sucht frühe die Perle von Werth,
Eh' Sünde und Laster die Kräfte verzehrt! :,:

3. Wort Gottes! Wort Gottes! Laut töne der Klang
Die Thäler, die Fluren der Erde entlang! [Klang
:,: Man liest ihre Regeln auf unserm Panier,
Und hört unsre Schule froh singen von ihr.

Des Fußes Leuchte.

(P. M. 76, 75, 76, 75, 64, 65.)

1. { Gottes Wort ist's, das verleiht, In dem Licht,
   { Dies allein die festen Grund, In dem Licht,
   in dem Licht, Wahres Glück in
   in dem Licht, Wenn einst kommt die

2. { Nach dem Tode bleibt die Freud', In dem Licht,
   { Wenn nur Jesus bleibt mein Freund, In dem Licht,
   in dem Licht, Ewig — ja in
   in dem Licht, Fürcht ich mich vor

Chor.

1. { die-ser Zeit; In dem Licht des Herrn.
   { Todes-stund; In dem Licht des Herrn. }
   Laßt uns gehn in dem Licht, Gehn

2. { E-wig-keit; In dem Licht des Herrn.
   { sei-nen Feind, In dem Licht des Herrn. }
   Laßt uns gehn in dem Licht, Gehn

in dem Licht. Laßt uns gehn in dem Licht, In dem Licht des Herrn.

Für das Jahresfest.

(C. M. Dreifach.)

1. Ho - san - na, Ho - san - na, Ho - san - - na! Ho - san - na brin - gen
2. Ho - san - na, Ho - san - na, Ho - san - - na! Ho - san - na fin - gen

1. wir heut dar Dem Hei - land unf - rem Herrn, Der auch ein Kind wie
2. freu - big wir, Ver - ei - nigt Groß und Klein; Wir prei - sen froh mit

1. wir einst war, Ihm fin - gen wir fo gern.
2. Herz u. Mund Den Hei - land nur al - lein.

Chor.

Ho - san - na soll das Lob-lied fein, Dem

Herrn, der uns er - löst. Laßt al - le Kin-der stim-men ein; Dieß ist ihr Freuden-

Knaben. Mädchen.

fest, Dieß ist der Kin - der Freu-den-fest, Freu-den-fest. Freu-den-fest;

Chor.

Dieß ist der Kin - der Freu - den - fest; Drum stim - men al - le ein,

3. Hosanna, Hosanna, Hosanna!
Hosanna tön' der laute Schall
Weit über Meer und Erd',
Bis alle Welt vom Widerhall
Des Sangs erwecket werd'. [Chor.

4. Hosanna, Hosanna, Hosanna!
Hosanna tön' in Kirch' und Haus,
Hosanna nah und fern;
Und dieß soll unsre Losung sein:
Hosanna preißt den Herrn! [Chor.

Des Winters Abschied.

(P. M. 66, 88, 10.)

1. Der Win - ter ist da - hin, Hell glänzt der Au - en Grün, Hell
2. Der Mat - ten fri - scher Duft Durch - würzt die lin - de Luft; Es
3. So ist in ho - her Pracht Der jun - ge Lenz er - wacht, Und

1. glänzt des Him - mels lich - tes Blau, Die We - ste weh'n so früh - lings - lau,
2. trinkt der Son - ne gold - nen Strahl, Den Mor - gen - thau trinkt Berg und Thal,
3. tönt aus ju - bel - vol - ler Brust Er - schallt der Vög - lein Lie - der - lust,

1. All - wärts, all - wärts, all - wärts die Blüm - lein blühn.
2. Im Wald, im Wald, im Wald der Kuk - kuk ruft.
3. Daß droh, daß droh, daß droh das Herz - je lacht.

Froh sind wir beisammen.

(P. M. 11, 11, 11, 7.)

1. Froh sind wir bei-sam-men an dem heut'-gen Tag In der Sonn-tag-schul', wo
2. Durch die Woch'* bracht Er uns und sein An-ge-sicht Leuchtet uns so freundlich

1. Je-der gern sein mag, Und mit un-sern Stimmen An-gen wir ver-eint,
2. wie das Mor-gen-licht Und der Geist, der Trö-ster, von des Va-ters Thron,

Ende. **Chor.**

1. Wie's der Herr so wohl ge-meint.
2. Bit-tet für uns durch den Sohn. Dort sind wir frei von je-dem Feind,

Dort sind mit En-geln wir ver-eint; Gold-ne Har-fen hat dort

Je-der in der Hand, Und preist da-mit den Herrn in je-dem Land.

* das Jahr.

3. Auf dem Thron des Vaters sitzt unser Herr,
Ruft uns freundlich zu: Kommt, kommet zu mir her,
In dem Land der Sel'gen ist auch Raum für euch;
Euer ist das Himmelreich.   [Chor.

4. Und in hellen Kleidern, wie der Schnee so weiß,
Werden all' die Meinen immer um mich sein;
Wo in ew'ger Glorie alle werden stehn,
Und in Ewigkeit mich sehn.   [Chor.

Jesus siegt!

(P. M. 88, 88, 98, 89.)

3. Nun, ihr armen Sünder alle,
Hört's, ihr seid erlöst vom Falle;
Von dem König aller Gnaden
Seid ihr herzlich eingeladen.　[Chor.

4. Kommt, ach kommt zum Hochzeitssaale,
Kommt zum großen Abendmahle;
Werdet selig durch Sein Sterben,
Werdet Seines Reiches Erben.　[Chor.

5. Sagt es laut, ihr Menschen, alle
Auf dem ganzen Erdenballe;
Rühmt des großen Königs Stärke.
Preiset Seiner Gnaden Werke.　[Chor.

6. Und ihr Engel vor dem Throne,
Rühmt auch ihr den Menschensohne;
Durch des Himmels weite Hallen
Lasset Jesu Lob erschallen.　[Chor

88

Der kleine Stern.

(P. M. 77, 77.)

Mäßig.

1. Leuch-te, leuch-te, klei-ner Stern! Was du bist, das wüßt' ich gern,
2. Wenn die Son-ne nicht mehr leucht't und das Gras vom Thau ist feucht,
3. Soll' ich dann im Dun-keln sein, Dank' ich dir für dei-nen Schein.

1. An dem Fir-ma-ment, so rein, Prangst du wie ein E-del-stein.
2. Dann zeigt sich dein hel-les Licht, Fun-kelnd, bis zum Morgen-licht.
3. Mei-ne We-ge fänd' ich nicht, Hätt' ich nicht dein sanf-tes Licht.

1. An dem Fir-ma-ment, so rein, Prangst du wie ein E-del-stein.
2. Dann zeigt sich dein hel-les Licht, Fun-kelnd, bis zum Mor-gen-licht.
3. Mei-ne We-ge fänd' ich nicht, Hätt' ich nicht dein sanf-tes Licht.

4. Auch zu meinem Kämmerlein
Blickst so freundlich du herein;
:,: Denn dein Aeuglein schließt sich nicht,
Bis die Dämmerung anbricht. :,:

5. Leuchte fort, du muntrer Stern;
Dein Erscheinen seh' ich gern.
:,: Wie dein Licht, so sanft und rein,
Möge so mein Wandel sein. :,:

Mäßigkeit.

Mel. Der kleine Stern.

1. Mäßigkeit ist schön und gut,
Wobei man ganz freudig ruht.
:,: Nüchternheit, Enthaltsamkeit
Mehren unsre Lebenszeit. :,:

2. Krankheit, Armuth, Reu' und Schmach
Folgt des Prassers Ferse nach;

:,: Und auf halb durchlaufner Bahn
Hält der strenge Tod ihn an. :,:

3. Aber Heil dem nüchtern Mann,
Der sich selbst beherrschen kann
:,: Und nie gegen die Natur
Das versucht, was schadet nur. :,:

Dankt Gott für die Bibel!

(P. M. 11, 8, 11, 9, 66.)

1. Dankt Gott für die Bi - bel! sie sagt uns al - lein Den

Je - fu, dem Hei - land der Welt; Wie Er sei - nen Thron dort im
D. S. Weil Er sei - nen Thron dort im

Him - mel ver - ließ, Und wie Er sich zu Sün - dern ge - sellt.
Him - mel ver - ließ, Und weil Er sich zu Sün - dern ge - sellt.

Ende.

Chor.   D. S.

Dank und Preis Ihm nun bringt, Lob und An - be - tung singt,

D. S.

2. Sein' Segen so gern Er den Menschen verlieh'n
Und ihnen das Leben versüßt;
Er sprach: „Laßt die Kindlein doch kommen zu mir,
Gebet, solcher das Himmelreich ist."
　　Ja, Er ruft für und für,
　　Kinder, kommt, kommt zu mir,
Er sprach: „Laßt die Kindlein doch kommen zu mir,
Denn solcher das Himmelreich ist."

3. Dankt Gott für die Bibel! den Samen so gut
Wir streuen mit offener Hand;
Doch schätzen dies Buch nach unendlichem Werth
Kann man nur in dem himmlischen Land.
　　Dort den Dank Ihm man bringt,
　　Dort mit Engeln man singt,
Denn schätzen dies Buch nach unendlichem Werth
Kann man nur in dem himmlischen Land.

Das Schifflein.

(C. M. Doppelt.)

3. Wir fürchten uns vor keinem Sturm,
Das Schiff ist gut gebaut,
Auch haben wir uns einem Mann
Am Steuer anvertraut
Wenn Der gebietet Wind und Meer,
So ist es plötzlich still,
Durch alle Klippen bringet Er
Uns sicher an das Ziel.

4. O seht, das Land ist schon in Sicht,
Von Wolken zwar umhüllt;
Doch immer deutlicher erscheint
Dem Glaubensaug' sein Bild.
Bald langen wir am Perlenstrand
Erlöst und selig an,
Dann sagen wir: Ja Großes hat
Der Herr an uns gethan

Frühlings-Ankunft.

Mel. Das Schifflein.

1. Der Frühling hat sich eingestellt,
Wohlan, wer will ihn sehn?
Der muß mit mir ins freie Feld,
Ins grüne Feld nun gehn,
Er hielt im Walde sich versteckt,
Daß Niemand ihn mehr sah;
Ein Böglein hat ihn aufgeweckt,
Jetzt ist er wieder da.

2. Jetzt ist der Frühling wieder da,
Ihm folgt, wohin er zieht,
Nur lauter Freude fern und nah,
Und unser muntres Lied.
Drum frisch hinaus ins freie Feld,
Ins grüne Feld hinaus!
Der Frühling hat sich eingestellt,
Wer bliebe da zu Haus?

Neujahrsgesang.

Mel. Das Schifflein.

1. Hell uns! ein Neues Jahr ist heut,
Das Alte ist dahin —
Froh fühlen wir uns Kinder heut,
Im kleinen Unschuldssinn:
Denn groß war unsers Gottes Huld,
In dem verfloß'nen Jahr;
Uns trug Er schonend in Geduld;
Bracht' andre auf die Bahr'.

2. Wie hat uns doch der Herr so lieb,
Daß Er uns Lehrer gibt,
Die Sorg' getragen für das Heil
Der Kinder, die Er liebt.
Wer könnte ohn' Empfindung stehn,
Wann dies wird recht bedacht?
Wer könnte dies vor Augen sehn?
Und hätte keine Acht?

3. D'rum Eltern kommt, vereint mit uns
Zu danken unserm Gott,
Der aus der Säuglinge Mund
Bereitet will Sein Lob!
Es breite kann in diesem Jahr,
Der Herr Sein Reich weit aus;
Und bringt der Tod uns auf die Bahr',
Nimm uns in's Vaters Haus.

4. Dort wohnen wir ohn' Leid und Klag',
Wenn wir stab hier recht fromm.
Dort sehen wir den schönen Tag,
Wo Christus sagt: „Nun komm,
Du treuer Knecht, geh' ein zur Freud',
Die dir bereitet ist
Vom Vater, der dir alles Leid,
In Ewigkeit versüßt."

Lob Gottes im Winter.

Mel. Das Schifflein.

1. Singt Gottes Lob im Winter auch;
Er ist so treu und gut,
Er nimmt vor Frost und Sturmeshauch
Die Saat in Seine Hut.
Er deckt sie mit dem Schnee so dicht,
So weich und sicher zu;
Sie merkt den harten Winter nicht
Und schläft in guter Ruh'.

2. O lobet Gott den Winter lang!
Er ist so treu und gut,
Und führet auch seinen Füße Gang
Und gibt euch frohen Muth;
Bescheert der Freuden mancherlei
In kalter Winterzeit,
Daß sich darob das Herz erfreu;
Lobt Ihn in Ewigkeit.

Wunsch am Neujahrstag.

Mel. Das Schifflein.

1. Ich möcht' ein junger Pilger sein,
Jesu, und folgen Dir,
Bin ich gleich schwach, und arm, und klein,
Rufst Du doch gnädig mir.
Ich möcht' im schmalen Pfade gehn
Zur schönen Himmelspfort',
Möcht' Jesum, meinen Heiland, sehn
Mit sel'gen Geistern dort.

2. Ich möcht' der Welt entsagen früh'
Sammt ihrem Prunk und Reiz;
Denn mir gefällt nicht ihre Müh',
Viel schöner ist das Kreuz.

Ich möcht' ein Kindlein Gottes sein,
Fromm und ergeben Ihm,
Gehorsam, ohne Heuchelschein,
In Allem angenehm.

3. Ist endlich dann mein Pilgern aus,
Leg' ich den Pilgerstab
Sammt meinem todten Leimenhaus
In Jesu schönes Grab.
Und wenn die Morgenstunde schlägt,
Daß ich soll auferstehn,
Wie süß mich Jesu Stimme weckt
Zum frohen Wiedersehn!

8

Nachtwächterlied.

(P. M. 88, 77, 88, 77.)

1. Hört ihr Herrn und laßt euch sa - gen, Uns - re Glock' hat zehn ge - schla - gen,
2. Hört ihr Herrn und laßt euch sa - gen, Uns - re Glock' hat elf ge - schla - gen,

1. Zehn Ge - bo - te schärft Gott ein Laßt uns Ihm ge - hor - sam sein.
2. El - fe treu ge - blie - ben sind, We - he dem ver - lor - nen Kind.

Chor.

Men - schen - wa - chen kann nichts nü - tzen, Gott muß wa - chen, Gott muß schü - tzen,

Herr, durch Dei - ne Güt' und Macht Gib uns ei - ne gu - te Nacht.

Zwölf Apostel wählt der Herr,
Zu verkünden Seine Lehr'!

Einer sitzet auf dem Thron,
Jesus Christus, Gottes Sohn.

Zweifach ist des Lebens Bahn,
Herr, zu bessern leit' uns an.

Dreimal heilig, heilig heißt
Gott der Vater, Sohn und Geist.

Vierfach ist das Ackerfeld.
Mensch, wie ist dein Herz bestellt?

Aus fünf Wunden floß das Blut
Deines Heilands dir zu gut.

Auf, ermuntert eure Sinnen!
Seht den neuen Tag beginnen!
Gott sei Dank, der uns die Nacht
Hat so väterlich bewacht!

Marsch der Sonntag-Schularmee.

Der Sonntag.

(P. M. 76, 76.)

Etwas langsam.

1. So fei-er-lich und stil - le, Als deu - te nah' und fern, Er's
2. Es tö-nen hell die Glo-cken, Sie tö - nen nah' und fern, Und
3. O sol-chem freud'-gen Ru - fe, Wer folg - te dem nicht gern? Wer

1. auch in mei-nem Her - zen, Am schö - nen Tag des Herrn! Er's
2. wal-ten Al - le la - den In's ho - he Haus des Herrn! Und
3. näh - me Gnad' und Lie - be Nicht gern von sei - nem Herrn? Wer

1. auch in mei-nem Her - zen, Am schö - nen Tag des Herrn!
2. wal-ten Al - le la - den In's ho - he Haus des Herrn!
3. näh - me Gnad' und Lie - be Nicht gern von sei - nem Herrn?

4. Und sieh'! der Glaube leitet,
Wie einst der Weisen Stern,
:,: Das Herz auf sich'rem Pfade
Hinauf zu seinem Herrn. :,:

5. Da sind ihm all'e Lüste,
Der Erde Schmerzen fern:
:,: Er lebt in sel'ger Stille
Allein in seinem Herrn! :,:

Herbst.

Mel. Der Sonntag.

1. Bald fällt von allen Zweigen
Das letzte Laub herab;
:,: Die Büsch' und Wälder schweigen,
Die Welt ist wie ein Grab. :,:

2. Das Vöglein ist verschwunden,
Sucht Frühling anderswo;
:,: Nur wo es den gefunden,
Da ist es wieder froh. :,:

3. Wenn auch von diesen Zweigen
Das letzte Laub nun fällt;
:,: Wenn Busch' und Wälder schweigen,
Als trauerte die Welt. :,:

4. Ein Frühling kann nicht schwinden,
O seliges Geschick!
:,: Du kannst den Frühling finden,
Noch jeden Augenblick. :,:

5. Der Frühling grünt im Herzen,
Das kindlich gläubig küßt,
:,: Den, der mit bittern Schmerzen
Hat keine Schuld gebüßt. :,:

6. Und wer dies Frühlingslosen
Aus Gott empfunden hat,
:,: Dem werden Blumen sprossen,
Auch wenn der Winter naht. :,:

Der Sommer.

(P. M. 887, 887.)

1. Geh aus, mein Herz, und su - che Freud In die - ser schö - nen
2. Die Bäu - me ste - hen vol - ler Laub, Das Erd - reich de - cket
3. Die Ler - che schwingt sich in die Luft, Das Täub - lein fleugt aus

1. Som - mer - zeit An dei - nes Got - tes Ga - ben. Schau an der schö - nen
2. sei - nen Staub Mit ei - nem grü - nen Klei - de; Die Blüm - lein auf dem
3. sei - ner Kluft Und macht sich in die Wäl - der; Die sang - be - gab - te

1. Gär - ten Zier Und sie - he, wie sie mir und dir Sich
2. Wie - sen - plan, Die zie - hen sich viel schö - ner an, Als
3. Nach - ti - gall, Er - götzt und füllt mit ih - rem Schall Berg,

1. aus - ge - schmü - det ha - ben, Sich aus - ge - schmü - det ha - ben.
2. Sa - la - mo - nis Sei - de, Als Sa - la - mo - nis Sei - de.
3. Hü - gel, Thal und Fel - der, Berg, Hü - gel, Thal und Fel - der.

4. Der Weizen wächset mit Gewalt,
Darüber jauchzet Jung und Alt,
Und rühmt die große Güte
Deß, der so überfließend labt
Und mit so manchem Gut begabt
Das menschliche Gemüthe.

5. Welch hohe Lust, welch heller Schein
Wird wohl in Christi Garten sein!
Wie muß es da wohl klingen,
Da so viel tausend Seraphim
Mit unverdroßner Wonnestimm
Ihr Hallelujah singen.

Grabesruhe.

(P. M. 59, 65.)

Langsam.

1. Im Gra - be ist Ruh'! Drum man - let dem trö - sten - den
2. Hier schlum - mert das Herz Be - freit von be - täu - ben - den
3. Es fül - let das Grab Der Lei - ben - den angst - voll - les

1. Zie - le Der Lei - ben - ben vie - le So sehn - suchts-voll
2. Sor - gen, Es weckt uns kein Mor - gen Zu ir - di - schem
3. Seh - nen, Und trock - net die Thrä - nen Der Wei - nen - ben

1. zu, Der Lei - ben - ben vie - le So sehn - suchts-voll zu.
2. Schmerz. Es weckt uns kein Mor - gen Zu ir - di - schem Schmerz.
3. ab, Und trock - net die Thrä - nen Der Wei - nen - ben ab.

4. Doch, nur wer in Gott
Entschlummert, der hat nicht zu sorgen,
:,: Ihn weckt kein Morgen
Zu größerer Noth. :,:

5. Der Herr, er bescheert
Im Vaterhaus Ruhe dem Frommen,
:,: Den er hat genommen
Zu sich von der Erd'. :,:

Die Schule.

(P. M. 55, 55, 55.)

Mäßig.

1. O, wie ist es schön, in die Schu - le gehn, Und was ler - nen brinn!
2. Frühe schwing mein Herz sich hier him mel - wärts, Wenn es Weis-heit lernt.

1. Je der Au - gen - blick wäh-ret da mein Glück, schwebt ge-nützt da - hin.
2. En-gel lie - ben mich, wenn das Bö - se sich bald von mir ent - fernt.

Wiederſehn.

(P. M. 87, 87, 87, 87.)

1. Wie-der - ſehn! Im A - bend - ſchei - ne flü-ſtert's mir ein Säuſeln
2. Ja nach we - nig flücht'-gen Stun - ben Seh' ich bir, bie mir ver-

1. zu; In bes Fried - hofs ſtil - lem Hai - ne, Füllt es
2. wandt, Die bem Stau - be ſchon ent - ſchwun - ten, Wan - beln

1. mich mit ſü - ßer Ruh'. Freund-lich blin - ten hei - le Ster - ne
2. in bem beſ-ſern Land. Wie - ber - ſehn In Frie-bens - hal - nen,

1. Trö-ſtend burch die Nacht her - ab; Sie ver - kün - ten aus ber Fer - ne:
2. Werd' ich bie mir frülb ent - floh'n, Uab ein e - wi - ges Ver - ei - nen

1. Wie-ber - ſehn nach Tob und Grab, Wie-ter-ſehn nach Tob und Grab.
2. Iſt bann bitt' - rer Trennung Lohn, Iſt bann bitt' - rer Trennung Lohn.

Führ' uns Jesus.

(P. M. 87, 78, 44, 7.)

3. Mit der Engel Wacht beschütz' uns,
Wenn der Böse uns aufsicht.
Hoffnungsvoll zu Dir wir blicken,
Du bist unsre Zuversicht.
:,: Und in Trübsal,
Und in Trübsal,
Jesus, dann verlaß uns nicht! :,:

4. Wenn dann unser Ende nahet,
Uns des Todes Macht umgibt,
Laß uns dann hinübergehen,
Wo es keine Nacht mehr gibt.
:,: Dann sei ewig,
Dann sei ewig
Preis dem Lamm, das uns geliebt. :,:

Des Pilgers Sehnen.

(P. M. 64, 64, 66, 64.)

1. Wann bricht der Tag wohl an, Wann wird es sein?
2. Jetzt schon im Glau-ben ich Die Kro-ne seh,

1. Daß mein Herr Je-sus Christ Mich wird be-frei'n
2. Die Gott bewahrt für mich; Zu ihm ich geh.

1. Von al-ler Sünd' und Noth; Wann wird der Ruf er-geh'n?
2. Möcht ich mit Wort und That Treu-lich thun mei-ne Pflicht,

1. Der mich einst bringt zu Gott, Wann wirds ge-scheh'n?
2. Und selbst auf dunk-lem Pfad, Wan-keln im Licht.

3. Jesus, sei Du mein Hort,
Mit Dir vereint
Find' ich die Himmelspfort';
Sei Du mein Freund.
Sei Du mein Sonn' und Schild,
Mein Heil und Führer Du,
Drücke mir auf Dein Bild,
Bring mich zur Ruh'.

4. O, wie sehnt sich mein Herz
Nach jener Zeit,
Wo ich bin frei von Schmerz
In Ewigkeit.
Wann wird die große Schaar
Ruhen in Canaan;
Das frohe Jubeljahr,
Wann bricht es an?

Ruhe im Vaterhaus.

Worte von Bonar.   Musik von J. C. Guck.

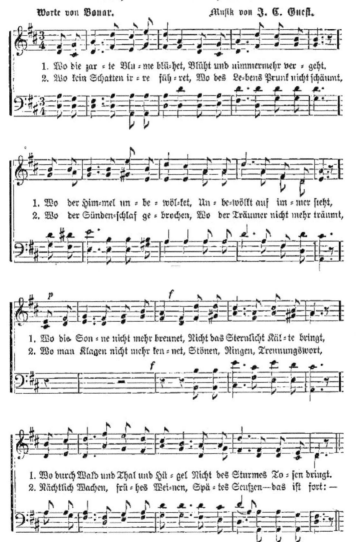

1. Wo die zar = te Blu = me blü=het, Blüht und nimmermehr ver = geht,
2. Wo kein Schatten ir = re füh = ret, Wo des Le=bens Prunk nicht schäumt,

1. Wo der Him=mel un = be = wöl=ket, Un = be=wölkt auf im = mer sieht,
2. Wo der Sünden=schlaf ge = brochen, Wo der Träumer nicht mehr träumt,

1. Wo die Son = ne nicht mehr brennet, Nicht das Sternulicht Käl = te bringt,
2. Wo man Klagen nicht mehr ken = net, Stönen, Ringen, Trennungswort,

1. Wo durch Wald und Thal und Hü = gel Nicht des Sturmes To = sen dringt.
2. Nächtlich Wachen, frü = hes Wei=nen, Spä = tes Seufzen—das ist fort: —

Da ru = hen wir einſt aus, da ru = hen wir einſt aus,

Brü = der, ja wir ruhen aus In dem ſel' = gen Va = ter = haus.

3. Wo ein neuer Himmel wölbet
Ueber einer neuen Erd',
Eine neue Sonne heilet
Alles, was uns hier beſchwert,
Wo da Berg und Thal frohlocket,
Grünes Kleid auf's Neu' anzieht,
Wo ein ſchöner Eden ſtrahlet,
Wo der Wüſte Garten blüht: —
Da ruhen wir ꝛc.

4. Wo ein ſeliges Erwachen
Ewig Fried' und Freude bringt,
Wenn aus Seraphsmund beſtändig
Lob und Preis dem Höchſten klingt,
Wenn das Kind die Mutter findet,
Wenn die Mutter find't das Kind,
Wenn ein großes Auferſtehen
Einet, die getrennt hier ſind: —
Da ruhen wir ꝛc.

Ruhe der Nacht.

1. Ver=rauſcht iſt das Ge = tüm=mel, Die ſtil = le Nacht bricht an,

Der Mond am ho = hen Him = mel Geht ſchwei=gend ſei=ne Bahn.

2. Ich falte froh die Hände;
Ich weiß, Du wachſt bei mir;
Mein Gott und Vater wende
Dein Antlitz nie von mir.

3. Du blickſt durch's Sterngefunkel
Hier in mein Kämmerlein;
Zu tief iſt Dir kein Dunkel,
Du leuchteſt doch hinein.

Christtagsfreude.

Munter.   Musik von J. Seebich.

1. Freut euch, Christus ist ge = bo = ren, Und ein neu = er Tag bricht an!

Gott, der Herr, hat ihn er = ko = ren, Daß ihm kei = ner glei = chen kann.

Hört ihr den Tri = umph = ge = fang Dort im ew' = gen Sphären = klang?

Hört ihr den Tri = umph = ge = fang Dort im ew' = gen Sphären = klang?

2. Horch, sie singen: „Freud' auf Erden,
Und den Menschen Heil und Glück!"
Alle sollen glücklich werden,
Allen strahlt sein Himmelsblick.
:,: Alles, Alles athme frei,
Daß nur Liebe Losung sei. :,:

3. Da, wo Christi Liebe waltet,
Strahlt auch wahrer Freiheit Licht,
Und ob Alles auch veraltet,
Diese Liebe altert nicht.
:,: Christus walte fort und fort,
Liebe sei das Losungswort. :,:

Führ' mich zu Jesu.

Solo.

1. Führ' mich zu Je - fu, führ' mich zu Je - fu, Lehr' mich Ihn lie - ben, be - ten zu Ihm.
2. Führ' mich zu Je - fu, Er will mich ha - ben, Er ift fo freund-lich lie - bend ge-finnt

Duett.

1. Er ift mein Heiland, Ihm will ich glau-ben, Ihm möcht' ich gleichen, führ' mich zu Ihm.
2. Ru-fet die Kin-der, heißt fie will-kommen, Mich auch Er ru - fet — ich bin ein Kind.

Chor. *pp*   *cresc.*   *rall.*

Kommet schnell her - bei zu unf-rer Kinderschaar, Kommt u. preißt mit uns den Heiland immerdar!

tempo.

Ru-het vom Frohfinn, ru-het vom Spiel, Kom-met zu Je - fu unferm Ziel.

3. Sag' mir von Jefu, von feiner Gnade,
Er ift der Quell, der reich fich ergießt.
Alle, die wollen, trinken fein Wasser,
Sag', ob für mich auch folches nun
fließt?   [Chor.

4. Jefus ich komme, Jefus mein Heiland.
O fo nimm Du mich an als Dein Kind,
Ich will Dir glauben, will Dir vertrauen,
Mache wie Du mich — himmlisch ge-
finnt.   [Chor.

Empfindungen unter dem Kreuz.

Langsam und zart.　　　　　　　　　Worte von E. Gebhardt.

1. { Wei = nen möcht' ich, bit = ter wei = nen, Je = su
   { Selbst die Sonn' mag nicht mehr schei = nen;　Fel = sen
2. { Möcht' in Thrä = nen ganz zer = flie = ßen,　Ach wie
   { Strö = me Blu = tes sich er = gie = ßen,　Aus der

1. { An = blick bricht mein Herz;　}　Dort auf je = nem Mar = ter-
   { be = ben gar vor Schmerz.　}
2. { rinnt Sein blut' = ger Schweiß;　}　Klaf = send steh'n die Wun = den
   { Brust, die lie = be = heiß.　}

1. hü = gel Lei = det Je = sus Angst und Noth,　In dem
2. of = fen, Dür = stend ringt das Got = tes = lamm;　Nicht auf

1. hei = ßen Trüb = sals = tie = gel　Ist be = trübt Er bis in Tod.
2. La = bung darf es hof = fen,　Hin = geschlacht't am Kreu = zes = stamm.

3. O welch Anblick voller Schauer!
Jesus, ach erbarm Dich mein!
Sieh' mein Herz in tiefer Trauer!
Ich bin schuld an Deiner Pein.
Ach, wie hab ich Dich betrübet,
Hab' verwundet Dir das Herz,
Und wie hast Du mich geliebet!
Deine Lieb' bricht mir das Herz.

4. Nimmer will ich's mehr vergessen;
Alles hast Du dort vollbracht!
Als ich so am Kreuz gesessen,
Hast Du selig mich gemacht.
O ich hab' es wohl empfunden,
Dein Blut macht von Sünden rein,
Und durch Deine heil'gen Wunden
Geh' auch ich zum Himmel ein.

Horch, es klopfet.

Herzinnig.   Worte von E. Gebhardt.

1. Horch, es klo-pfet für und für! Wer steht drau-ßen vor der Thür? O ein Gast ist's son-der-glei-chen, Den die Lie-be zu dir trieb! Ach, mein Herz, laß dich er-wei-chen, Thu' Ihm auf und hab' Ihn lieb!

2. Horch, es klopfet stets auf's Neu!
Wer mag warten so voll Treu?
O dein Herr ist's hocherhaben,
Welch ein Glück ist's, Sein zu sein!
Sieh' Er kommt mit Himmelsgaben,
Thu' Ihm auf und laß Ihn ein!

3. Horch, es klopfet! Hör' es doch!
Immer steht Er draußen noch!
O dein Heiland ist's voll Gnaden,
Der da klopft an deiner Thür'!
Er will dich zur Hochzeit laden,
Thu' Ihm auf, Er schenkt sich dir!

Die Sach ist dein, Herr Jesu Christ.

Moderato.

1. { Die Sach ist dein, Herr Je = su Christ, Die Sach, an der wir
   { Und weil es dei = ne Sa = che ist, Kann sie nicht un = ter=

stehn, }   { Al = lein das Wai = zen = korn be = vor }
gehn, }   { Es frucht = bar sproßt zum Licht em = por, }

Muß ster = ben in der Er = de Schoß,   } Durch
Zu = vor vom eig = nen We = sen los,   }   pp

Ster = ben los, Vom eig = nen We = sen los.

2. Du gingst, o Jesu, unser Haupt,
Durch Leiden himmelan,
Und führest jeden, der da glaubt,
Mit dir die gleiche Bahn.
Wohlan, so nimm uns allzugleich
Zum Theil am Leiden und am Reich;
Führ uns durch deines Todes Thor
Sammt deiner Sach zum Licht empor,
Zum Licht empor,
Durch Nacht zum Licht empor.

3. Du starbest selbst als Waizenkorn
Und sankest in das Grab;
Belebe denn, o Lebensborn,
Die Welt, die Gott dir gab.
Send Boten aus in jedes Land,
Daß bald dein Name werd bekannt,
Dein Name voller Seligkeit;
Auch wir stehn dir zum Dienst bereit
In Kampf und Streit,
Zum Dienst in Kampf und Streit.

Neu Jahr.

Mel. Die Sach' ist Dein. Herr Jesu Chr.

1. O Herr, der Du uns feiern läß'st
So gnädig dieses Jahr
Ein lieblich, schönes Kinderfest
Mit dieser frohen Schaar,
Wir treten jubelnd vor Dich hin
Mit kindlich, Dir ergeb'nem Sinn
Und flehn zu Dir: O lieber Herr,
O komm und neig' Dich zu uns her!
O lieber Herr,
Komm, neig' Dich zu uns her!

2. O Jesu, Du hast uns vereint
Durch Deinen Ruf allhier,
Da Du, als unser bester Freund,
Sprachst: „Kinder, kommt zu Mir!"
Hier sind wir nun voll Herzenslust;

O drück uns recht an Deine Brust,
Ja, segne uns, Du, der so reich,
Und schenke uns Dein Himmelreich!
Du, der so reich,
Schenk' uns dein Himmelreich!

3. Wenn wir, o Jesu, dann vor Dir
Und Deinem Throne steh'n,
Dann wollen wir erst für und für
Dein Lob und Ruhm erhöh'n,
Dann feiern wir ein ewig Fest
Als Deine sel'ge Himmelsgäst',
Dann jauchzen wir: „Victoria!
Preis Dir, o Herr, Hallelujah!"
Victoria!
Preis Dir! Hallelujah! C. G

Das große Geheimniß.

Aus dem Schwedischen.

1. Wie Pha-ra-o mit sei-nem Heer Im ro-then Meer er-trun-ken,
2. Wirf du in's Meer den Fun-ken doch, Gleich löscht er und verschwin-det;

1. So sind auch deine Sünden-hör! Komm eilend her!—In Je-su Blut versun-ken.
2. Christ, wirf in's Grab dein' Sünden noch, Du freu' dich doch, Daß kei-ner sie mehr fin-det!

3. Es ist vollbracht! Nun sieh' die Welt
Ist frei trotz ihrer Sünden,
Nur daß sie Ihn fest glaubend hält,
Der sie erwählt (Joh. 3, 16),
Wer kann die Gnad' ergründen?

4. Dies groß' Geheimniß Niemand weiß,
Noch kennen kann hienieden,
Nur wer den Glauben hält mit Fleiß,
Wer sonst viel weiß,
Doch nicht glaubt, hat nicht Frieden.

5. Auch ich bin Einer von der Welt
Und glaub' an Jesu Sterben,
Da werd' ich einst auch hingestellt
Und zugezählt
Den'n, die den Himmel erben.

6. Wenn mir auch Leib- und Seelen-Noth
Noch often hier anhangen;
Ich weiß mein Hort das ist mein Gott,
Der hilft vom Tod,
Da kann mir nimmer bangen.

Die wunderbare Liebe.

Anmuthig.

1. Wie sehr hat Gott die Welt ge-liebt, Die Sün-der all-zu-mal;
2. Im Glau-ben spricht mein Her-ze nun: O Hei-land, Du bist mein!

1. Ein frei-es voll-es Heil Er giebt, Er-lö-sung von dem Fall!
2. In Dei-nem To-de kann ich ruh'n, Dein Blut, Herr, macht mich rein.

Chor.

Wel-che Lieb', o wel-che Lieb', Daß sol-ches mir ge-schah! Mein

Hei-land starb aus frei-em Trieb Für mich auf Gol-ga-tha.

3. Ihr Seelen, die ihr Jesu glaubt,
Geht hin, und freuet euch:
Der Herr gibt euch, was Niemand raubt,
Sein eigen Himmelreich.

4. O singt vom Sieg durch Jesum Christ,
O singt hienieden schon;
Und wenn es hier vollendet ist,
Singt ewig vor dem Thron!

Ich komme.

1. Auf dei = nen Ruf, o Herr, Tret ich vor dich all = da Und
su = che Heil in dei=nem Blut, Das floß auf Gol = ga = tha.

Chor.

Ich kom = me jetzt zu dir, O Herr, tritt du mir nah, Und
wa = sche mich in dei=nem Blut, Das floß auf Gol = ga = tha!

2. Weil ich so elend bin,
   Willst du mein Alles sein;
   Dein Blut macht mich auf's Völligste
   Von jedem Flecken rein.   [Chor.

3. Dein Wort verheißt mir klar
   Der Liebe volles Heil,
   Daß Friede, Freud und Zuversicht
   Sei'n stets mein Segenstheil. [Chor.

4. Vollführen willst du ja
   Dein Gnadenwerk in mir,
   Daß ich mit festem Herzen hang
   Nur ganz allein an dir.   [Chor.

5. Heil dir, o Gottessohn,
   Heil dir, du hast vollbracht,
   Heil dir für dein Erlösungsblut.
   Das völlig selig macht.   [Chor.

Die drei Kreuze.
(C. M. Doppelt.)

1. Drei Kreuze stehn auf Gol-ga-tha; Mal-zeichen al - ler Welt; Sie
2. Das an-dre Kreuz ihm zu - gekehrt, Steht hell in sei-nem Schein, Und

stehn so fern und sind so nah Uns vor den Blick ge - stellt. Das
den   es trug mit Schuld beschwert, Sprach Christi Gna-de rein. Das

ei - ne Kreuz trägt Gottes Sohn, Mit blut'gem Dor - nen-kranz, Es
drit - te Kreuz steht ab - ge-wandt, In tie - fe Nacht ge-hüllt; Es

steht umwallt als wie ein Thron Von wun-der - ba - rem Glanz.
starrt von ihm weit in das Land Ein blei - ches Schre-ckens-bild.

Des Pilgers Bitte.
Mel. Die drei Kreuze.

1. Es treibt mich durch die weite Welt
Ein ungestümer Drang;
O bleibe, Herr, mir beigesellt
Auf meinem Wandergang;

Und zähme meinen wilden Sinn
Und läutre meine Glut,
Und nimm die irre Seele hin
In deine treue Hut.

2. Und trage deiner Liebe Strahl
Als Fackel mir voran,
Damit ich nicht im dunkeln Thal
Den Weg verfehlen kann.

Denn mich treibt durch die weite Welt
Ein ungestümer Drang;
O bleibe, Herr, mir beigesellt
Auf meinem Wandergang.

Sonne der Gerechtigkeit.

Mel. Die drei Kreuze.

1. O Sonne der Gerechtigkeit,
Geh' auf in deiner Pracht,
Vertreibe alle Traurigkeit,
Sammt meiner Sündennacht!
O Sonne der Gerechtigkeit,
Erwärm' mein kaltes Herz,
Den Frieden bring' und Trost und Freud',
Und end'ge allen Schmerz!

2. O Sonne der Gerechtigkeit,
Steig' auf zum vollen Tag,
Auf deinen Flügeln Heil verbreit',
In jedes Herz es trag'!
O Sonne der Gerechtigkeit,
Enthülle dich mir ganz,
Laß mich von nun und allezeit
Pilgern in deinem Glanz!

Christliche Einigkeit.

Mel. Die drei Kreuze.

1. Der Du noch in der letzten Nacht,
Eh' Du für uns erblaßt,
Den Deinen von der Liebe Macht
So schön geprediget hast:
Erinn're Deine kleine Schaar,
Die sich sonst leicht entzweit,
Daß Deine letzte Sorge war
Der Glieder Einigkeit.

2. Bezwinge unsern stolzen Sinn,
Der nichts von Demuth weiß,
Und führ' ihn in die Liebe hin,
Zu Deiner Liebe Preis;
Weil Du noch in der letzten Nacht,
Eh' Du für uns erblaßt,
Den Deinen von der Liebe Macht
So schön geprediget hast.

Des Ungehorsams Lohn.

Mel. Die drei Kreuze.

1. Im dichten Walde saß ein Kind
Verlassen ganz allein;
Um seine zarten Schultern hing
Ein Mantel hübsch und fein.
Es weinte sich die Augen roth,
Lieb' Mutter, rief es: „Komm!"
Doch Niemand kam in dieser Noth
Und half dem kleinen Tom.

2. Vom Hause lief ich sehr geschwind
Zu suchen Beeren mir.
Die Mutter aber sprach: „Mein Kind,
Gehorche, bleibe hier."

Gehorchen aber wollt ich nicht,
Denn dieses schien mir recht.
So kam's, daß ich verirrte mich,
Verlor den rechten Weg.

3. Es weinte bitterlich und lang
Und fand doch keinen Trost,
So daß der Wald vom Echo sang
Zu dieses Kindes Loos.
Es dürstete zwei Tage schon,
Auch Hunger stellt sich ein.
Dies war des Ungehorsams Lohn,
Drum Kinder, merkt's Euch fein.

Jerusalem.

Mel. Die drei Kreuze.

1. Jerusalem, Jerusalem!
Die du so hoch gethront,
Du Wohnung Gottes lieb und werth,
Du Himmel unterm Mond;
Jetzt sammt den Deinen unterm Fluch,
Geknechtet jämmerlich:
Jerusalem, Jerusalem,
Stets weinen wir um dich.

2. Wo einst das Lob des Herrn erklang
Auf Zions heil'gen Höhn,
Da krümmen deine Kinder bang
Sich unter ihren Weh'n;

Am Boden sitzt du einsam jetzt
Geknechtet jämmerlich:
Jerusalem, Jerusalem,
Stets weinen wir um dich.

3. Jerusalem. Jerusalem,
Bis du dich einst bekehrst,
Und unser Lamm, das du durchbohrt,
Mit wahrer Buße ehrst,
Bis du dich vor dem Heiland bengst,
Vor seinem Seitenstich:
Jerusalem, Jerusalem,
Stets weinen wir um dich.

Christfestlied.

Andante. Sehr zart.

1. Hört's, wir verkün-den euch Freu-de vom Himmelreich; Denn der Herr Je-sus Christ
2. Gott in der Höh' sei Ehr' Von al-ler Himmel Heer, Frie - be und Wohlge-fall'n

(Ge - bo - ren ist! Laf-set uns se - hen Was da ge-sche - - ben,
Sei mit euch All'n! Ja Wohlge - fal - len Sei nun mit Al - - len.

Ju - belt veß Wonne Ue - ber bem Kinb; Denn in dem Soh - ne
Himm - li-schen Frie - ben Schenkt uns der Herr, Al - les hie - nie - ben

Denn in dem
Al - les hie-

Sinb wir versühnt, wir ver - sühnt; Denn in dem Soh - ne Sind wir ver - sühnt!
Geb' Gott bie Ehr', Gott bie Ehr', Al - les hie - nie - ben Geb' Gott bie Ehr'!

Soh - ne Sind wir ver - sühnt;
nie - ben Geb' Gott bie Ehr'!

Die Arche des Herrn.

Worte von P. A. Mölling.

1. { Wie heißt das Schiff, du se-gelst drin? Den Namen wüßt' ich gern!
Der Weg, die Wahrheit, Chri-sti Lehr, So heißt die Arch' des Herrn. }

D. C. Die Nacht ist bald vor - bei, der Tag zeigt uns das Va - ter - land.

Und wie heißt der Be - stimmungs - ort, Der Ha - fen reich und schön;

Es ist das Neu-Je - ru - sa - lem Zur Hei-math aus - er - sehn.

Chor.

Die Se-gel auf, Die Se - gel auf, Der Wind ist frisch, Das Ruder schnell bemannt!

2. Der Compaß heißet Gottes Wort,
Am Anker Hoffnung steht
Der Glaub', das Seil, wenn Gottes Lieb'
In unsre Segel weht.
Wie viele habt ihr schon an Bord?
Und noch ist's nicht zu schwer;
Es sind schon Millionen da
Und Raum für noch viel mehr.

Der Schnitter und die Blumen. (Chant.)

Worte (nach Longfellow) von J. A. Reitz.

1. Es ist ein Schnitter, der heißt Tod, Mit seiner | Si - chel | kühn |

Haut er die reifen Aehren ab, Die | Blüm - lein, die dort blühn. |

2. „Ist nur das reife Korn für mich?"
   Fragt er mit | ernstem Blick; |
   „Die Blumen sind zwar schön und zart,
   Doch | geb ich sie zurück." |

3. Er sah die Blum' mit Thränen an,
   Bricht sie dann | zärtlich ab. |
   Für Eden war' sie ja bestimmt,
   Nicht | für das enge Grab. |

4. „Die hübschen Blümlein liebt mein
   Herr"—
   So sagte | er gelind. |
   „Ein theures Erdenpfand sind sie,
   Wo | er einst war ein Kind."

5. „Sie soll'n in Gottes Garten blühn,
   Wie er es | selbst befahl, |
   Und heil'ge Engel schmücken sich
   Mit | ihnen ohne Zahl."—

6. Die Mutter gab—mit Thränen zwar—
   Die theuren | Blümlein hin — |
   Sie weiß, daß sie im Paradies
   Viel | schöner werden blühn. |

7. Ah, nicht in Rache, nicht im Zorn,
   Der Schnitter | heute kam; |
   Ein schöner Engel flog daher,
   Die | holden Blümlein nahm. |

Lebensregel.

Worte von J. A. Reitz.

1. Geht vor - an zu - sam - men Im - mer fest und treu.
2. Hebt em - por das Ban - ner, Laßt es freu - dig wehn,

Red - lich und auf - rich - tig Je - des Her - ze sei.
Wie des Ad - lers Schwingen Durch die Lüf - te gehn.

Trüb - sal o - der Freu - de, Dun - kel o - der Licht —
Wollt ihr je - mals sie - gen, Müßt ihr käm - pfen recht.

1. Bleibt bei der Wahrheit, Bleibt bei dem Recht.
2. Bleibt bei der Wahrheit, Bleibt bei dem Recht. Recht.

3. Bei dem Vater droben
Holt euch Muth und Kraft.
Waffen nützen wenig,
Wenn das Herz verzagt.
Stärket eure Hände
Täglich für's Gefecht.
:,: Bleibt bei der Wahrheit,
Bleibt bei dem Recht. :,:

4. Handelt stets mit Liebe,
Und aus Pflichtgefühl —
Immer überwinden
Das sei euer Ziel.
Einstens wird die Krone
Dem, der kämpfet recht,
:,: Bleibt bei der Wahrheit,
Bleibt bei dem Recht. :,:

Der Gesang.

1. Laßt die Tö - ne klin - gen, Im - mer wohl - ge - muth,
2. Fromm in Freu - de sin - gen, Gibt gar schö - nen Klang,
3. Klin - get, Lie - der, klin - get, Klin - get im - mer - dar!

1. Laßt uns fröh - lich sin - gen, Sin - gen: Gott ist gut.
2. Und so soll es klin - gen, Un - ser Le - ben lang.
3. Hört, in Freu - de sin - get Un - sre fro - he Schaar.

10

Vom himmlischen Land.

1. Wir sin-gen vom himmlischen Land, Wo Got-tes Volk zie - het hin-
2. Dort sind wir auf e - wig beim Herrn. Er - löst von Ver - suchung und

ein. Sein Ruhm ist uns Allen bekannt; Doch wie wird's der See - le dort
Pein; Wir rühmen uns dessen so gern; Doch wie wird's der See - le dort

sein? Doch wie, doch wie, doch wie wird's der See - le dort sein? Sein
sein! Doch wie, doch wie, doch wie wird's der See - le dort sein! Wir

Ruhm ist uns Al - len bekannt; Doch wie wird's der See - le dort sein?
rüh - men uns des - sen so gern; Doch wie wird's der See - le dort sein!

3. Dort winket den Siegern die Kron'
   Und Kleider gar glänzend und fein.
   Hier singen wir manch'smal davon;
   Doch wie wird's der Seele dort sein!

4. O Gott, schenk' uns Allen die Gnad'
   Und mach' unsre Herzen recht rein,
   Damit wir einst schauen die Stadt
   Und wie es ist, bei Dir zu sein!

Die ewige Heimath.

Worte von C. F. Paulus.

1. Hei-math-land, Hei-math-land, O, wie schön bist du!

Herz-in-nig sehn' ich mich nach dir Und dei-ner sel'-gen Ruh.

Die Welt ist mei-ne Heimath nicht, Mein Her-ze ist nicht hier;

Du Heimath über'm Himmels-zelt, Mein Her-ze ist bei Dir!

2. Himmelwärts, himmelwärts
Richt ich meinen Blick.
Dort sind schon meiner Lieben viel',
Und ich bin noch zurück.
Der Kampf ist heiß, die Tage schwül
In dieser argen Welt;
Zu eng wird mir's im Weltgewühl,
Zu eng im Wanderzelt.

3. Doch nicht lang, nicht mehr lang
Währt die Prüfungszeit,
Und dann wird mir im Vaterhaus
Die ew'ge Seligkeit.
Was nie ein menschlich Ohr gehört,
Und noch kein Aug' gesehn,
Ja, mehr als je ein Mensch gedacht,
Wird dort an mir geschehn.

„O sage mir noch einmal!"

Worte von P. A. Mölling.

1. O sa - ge mir noch ein - mal Vom schö - ner Him - mel - reich;
2. O sa - ge mir es deut - lich, Ich bin nur arm und klein;

Ende.

1. Von Je - su Chri - sti Herr - lich - keit Und sei - ner Lieb zu - gleich.
   O sa - ge mir es lang - sam, Daß ich es mag ver - steh'n,
2. Doch weiß ich: auch die Kin - der Macht Er von Sün - den rein.
   O sa - ge mir's noch manch - mal, Daß Er auch mich ver - söhnt,

D. S.

1. Die gro - ße Heils - Er - lö - sung Auf Gol - ga - tha ge - scheh'n.
2. Daß sich mein Kin - des - her - ze An die - sen Trost ge - wöhnt.

Chor.

O sa - ge mir noch ein - mal, O sa - ge mir noch ein - mal,

O sa - ge mir noch ein - mal, Was Je - sus Christ ge - than.

3. O sag's mit sanfter Stimme,
   Was All Er auf Ich nahm;
   Bekent. Ich bin ein Sünder,
   Den Er zu retten kam.
   O, sage mir es immer,
   Es bleibt mir ewig neu:
   Daß ich ein armer Sünder
   Und Er mein Heiland sei.   [Chor.

4. O, sag' nur stets dasselbe
   Das alte, theure Wort;
   Das scheucht von weitem Herzen
   Das eitle Wesen fort.
   O, sag' mir: wenn ich sterbe,
   So wird Er bei mir stehn;
   Auch durch den Todes-Jordan
   Mit seinem Kinde geh'n.   [Chor.

Sprich ein Wort von Jesus.

Mel. O sage mir noch einmal.

1. O sprich ein Wort von Jesus,
Das alte, theure Wort!
O sprich von seiner Liebe,
Der Sünder Gnadenhort!
Ich lausch und hör' so gerne,
Wie er auch mich so liebt,
Wie er auch meinem Herzen
Den Kuß der Liebe giebt!

Chor: O sprich ein Wort von Jesus,
O sprich ein Wort von Jesus,
O sprich ein Wort von Jesus,
Das alte, theure Wort!

2. O sprich von dem Erlöser,
Der an dem Kreuze starb,
Der auch mir armen Kinde
Das Himmelreich erwarb!
Ich möchte immer weinen,
Er starb ja auch für mich;

Und alle, alle Kinder, —
Auch mich—ruft er zu sich! [Chor.

3. O sprich vom treuen Hirten,
Der seine Heerde liebt;
Der seinen kleinen Schafen
Die beste Weide giebt,
Der keines will verlieren,
Sie all' beim Namen nennt,
Und Alle, die ihn lieben
An ihren Herzen kennt! [Chor.

4. Erzähl' es immer wieder,
Ich hör' es nie zu oft;
Er schaut vom Himmel nieder,
Auf mein Herze hofft,
Und wenn ich einst im Himmel
Den theuren Heiland seh',
Dann will ich immer bleiben
In seiner heil'gen Näh'. [Chor.

Charfreitag.

Mel. O sage mir noch einmal.

1. Wie bist du so verlassen
Am Kreuzesstamm, Herr Christ!
Wer kann die Liebe fassen,
Die Aller Sünde büßt?
Des Todes Grau'n und Schrecken
Sie kommen über Dich,
Und Deine Hände strecken
Sich liebend gegen mich.

Chor: Wie bist du so verlassen
Am Kreuzesstamm, Herr Christ!

2. Im Tod noch möcht'st Du ziehen
Mein Herz zu Dir hinan;
In Deine Wunden fliehen
Lehr' mich, Du Schmerzensmann.
Durch Deine heil'gen Wunden,

Durch Deine Kreuzespein
Kann nun das Herz gesunden,
Und ewig selig sein.

Chor: Im Tod noch möcht'st Du ziehen
Mein Herz zu Dir hinan.

3. Herr Jesu, sieh! wir Kinder,
Woll'n auch gern selig sein.
Mach', Todesüberwinder,
Von Sünd' und Tod uns rein.
Lehr uns als Kinder frühe
Zu Deinem Kreuze flieh'n;
Still beugen unsre Kniee,
Still beugen Herz und Sinn.

Chor: Herr Jesu, sieh! wir Kinder,
Woll'n auch gern selig sein.

Jesu Vorbild.

Mel. O sage mir noch einmal.

1. O wäre ich wie Jesus
So liebreich und so mild!
O wär' in meinem Herzen
Sein sanftes Ebenbild!
Könnt ich wie Jesus kindlich
Zum lieben Vater nah'n!
Und wenn ich fleh' und bitte,
Was ich bedarf, empfah'n.

Chor: O wäre ich wie Jesus,
O wäre ich wie Jesus,
O wäre ich wie Jesus,
So liebreich und so mild!

2. O könnte ich, wie Jesus,
Den segnen, der mich schilt,

Dann wäre ich ihm ähnlich,
Dann trüge ich sein Bild!
Dann wäre meine Freude,
Des Nächsten Heil und Gut;
Dann gäbe ich dem Feinde,
Wie Jesus, Leib und Blut. [Chor.

3. Daß ich noch nicht wie Jesus,
Ist's, was ich leider weiß;
Doch da der Herr der Weinstock,
Bin ich sein zartes Reis,
O möchte ich das bleiben,
Die Gnade sei mein Schild.
Mach', Jesus, mich dir ähnlich,
Verklär mich in Dein Bild. [Chor.

Hör' das Wort von Jesus.

Antwort zu: „Sprich ein Wort von Jesus."

Nicht zu schnell.

1. So hör' das Wort von Je - sus, Das al - te, theu - re Wort!
2. O hör', wie dein Er - lö - ser Für dich am Kreu - ze starb.

(Ende.)

1. So hör' von Sei - ner Lie - be, Der Sün - der Gna - den - port!
2. Und so dir ar - men Sün - der, Das Him - mel - reich er - warb!

D. S. Wie Er auch bei - nem Her - zen Den Kuß der Lie - be gibt!
Dein Je - sus an dem Kreu - ze Auf dich schon da - mals sah!

D. S.

1. O laß es dir ver - kün - den, Wie Er auch dich ge - liebt,
2. Mit thrä - nen - vol - len Bli - den Schau hin auf Gol - ga - tha,

Chor.

So hör', so hör' das Wort von Je - sus, Vernimm das al - te, theu - re

Wort! So hör' von Sei - ner Lie - be, Der Sün - der Gna - den - port! —

3. O hör' vom treuen Hirten,
   Der Seine Heerde liebt,
   Der allen Seinen Schafen
   Die beste Weide giebt.
   Er spricht: Laßt Alle kommen,
   Die Kinder nah und fern,
   Die Guten und die Frommen
   Hat Jesus gar so gern!   [Chor.

4. Von Ihm nur will ich reden,
   Ich thu' es nie zu oft,
   Er schaut vom Himmel nieder,
   Auf den mein Herze hofft! —
   Und sind wir einst dort oben
   Dem theuren Heiland nah',
   Dann singen all die Seinen
   Vereint: Hallelujah!   [Chor.

121

Die Engel und die Hirten.

Lebendig.　　　　　　　　　　　　　　Arrangirt von H. Herzer.

1. Es wird so hell dort in der Luft, Und mitten in der Nacht;
Es strömt ein himmlisch-sü-ßer Duft Her-ab zur Hir-ten Wacht.

2. Ein un-be-schreiblich schö-nes Lied Er-tönt von o-ben ber;
Der Hir-ten Aug', wie's aufwärts sieht, Er-blickt der En-gel Heer.

Chor.

Glo-rie, Glo-rie, sin-get all, daß Erd und Him-mel wie-der-hall!

{ Ho-si-an-na! Ho-si-anna! Ho-si-an-na sei dem Heiland der Welt. }
{ Ho-si-an-na! Ho-si-anna! Ho-si-an-na sei dem Heiland der Welt. }

Glorie, Glorie, sin-get all, daß Erd und Himmel wie-der-hall.

3. Da bliebe Keiner wohl zurück
Bei diesem Festbesuch;
Ein Kindlein fesselt ihren Blick,
Gehüllt in seinen Tuch.　　　　　[Chor.

4. In einer Krippe liegt es da,
Ein neugebornes Kind,
Die Engel singen: Gloria!
Sing' auch du, liebes Kind!　　　[Chor.

5. Das Kindlein hat dir Gott geschenkt,
Es ist Sein eig'ner Sohn.
Ei! wer hat Ihm das Herz gesenkt
Auf Seinem hohen Thron?　　　　[Chor.

6. Du glaubst es nicht, wie Er dich liebt,
Mein Kind! o freu' dich doch!
Wenn Er Sein Kostbarstes dir gibt,
Was fehlet dir denn noch?　　　[Chor.

Der Fels des Bundes.

(P. M. 77.)

1. Fels des Bun-des, auf - ge-than, Mich be-schir-mend zu umfah'n,
D. C. Die zu Gott um Süh - ne schreit, Und mein un - rein Herz er-neut.

Deffn' im Waf - fer und im Blut Dei - ner Sei - te mir die Fluth,

2. Reuethränen ohne End',
Eifer, der kein Feiern kennt:
Kann das meine Sühne sein?
Du mußt retten, Du allein!
Geistesarm, mit leerer Hand
Halt ich, Herr, Dein Kreuz umspannt.

3. Ob ich wall' im Erdenlicht,
Ob mein Aug' im Tode bricht,
Ob ich dahin werd' erhöht,
Wo Dein Thron in Glorie steht:
Bundesfels bleib' aufgethan,
Mich beschirmend zu umfah'n.

Morgenstern.

Mel. Der Fels des Bundes.

1. Morgenstern der finstern Nacht,
Der die Welt voll Freuden macht,
:,: Jesu mein, o komm herein,
Leucht' in meines Herzens Schrein! :,:

2. Schau, dein Himmel ist in mir,
Er begehrt dich, feine Zier;
:,: Säume nicht, o du mein Licht,
Komm', bevor der Tag anbricht. :,:

3. Deines Glanzes Herrlichkeit
Uebertrifft die Sonne weit,
:,: Du allein, o Jesu mein,
Bist, was tausend Sonnenschein. :,:

4. Du erleuchtest alles gar,
Was jetzt ist und kommt und war,
:,: Voller Pracht wird uns die Nacht,
Weil dein Glanz sie angelacht. :,:

5. Deinem freudenreichen Strahl
Folgt der Glaube überall,
:,: Schönster Stern, nah oder fern
Ehrt man dich als Gott und Herrn. :,:

6. Nun, du goldnes Seelenlicht,
Komm' herein und säume nicht,
:,: Komm' herein, Jesu mein,
Füll' mein Herz mit deinem Schein. :,:

Abendgebet.

Mel. Der Fels des Bundes.

1. Müde bin ich, geh' zur Ruh',
Schließe beide Äuglein zu;
:,: Vater, laß die Augen dein
Ueber meinem Bette sein! :,:

2. Hab' ich Unrecht heut' gethan,
Sieh' es, lieber Gott, nicht an!
:,: Deine Gnad' und Jesu Blut
Macht ja allen Schaden gut. :,:

3. Alle, die mir sind verwandt,
Gott, laß ruhn in deiner Hand.
:,: Alle Menschen, groß und klein,
Sollen dir befohlen sein. :,:

4. Kranken Herzen sende Ruh',
Nasse Augen schließe zu!
Laß den Mond am Himmel stehn :,:
Und die stille Welt besehn. :,:

Die Heimreise.

Langsam.

1. Mein Schiff-lein stößt vom Stran-de, Le-bet wohl!

Mich zieht's zum Hei-math-lan-de, Le-bet wohl!

Wie fröh-lich ist mein Sinn! Aus der Fer-ne, ach, wie ger-ne

Nach der Heimath zieh' ich hin. Le-bet wohl, le-bet wohl!

2. Mein Schiff streicht durch die Wellen,
Lebet wohl!
Seht, wie die Segel schwellen,
Lebet wohl!
Leb wohl, du fremdes Land!
Aus der Ferne, ach, wie gerne
Eile ich an Jesu Hand!
Lebet wohl, lebet wohl!

3. Schon glänzt der Heimath Küste,
Lebet wohl!
Ich eile aus der Wüste,
Lebet wohl!
Es treibet mich hinaus,
Aus der Ferne, ach, wie gerne
Kehr' ich heim in's Vaterhaus!
Lebet wohl, lebet wohl!

11

Die Hoffnung.

Ruhig.

1. { Hoff-nung, Hoff-nung, Däm-mer-licht in Näch-ten, Wil - lig
   { Will die Welt mich ar - men Frembling äch - ten, Ist sie

Chor.

folg ich deinem sanften Strahl. } Muß ich fremd im Lan-be Me-sech sein,
mir und bin ich ihr zur Qual.

Kehr' ich A-bents, Kehr' ich A-bends doch in Zo-ar ein.

2. Hoffnung, Hoffnung, deine Friedens-
   sterne
Leuchten schon wie ew'ges Morgenroth.
Sehnend blick' ich nach der Heimath
   Ferne —
Doch erst geht's mit Christo in den Tod.
Nun, so stirb' gelassen Herz und Sinn,
:,:Beth'lems Stern weist :,: dich nach
   Salem bin.

3. Noch ist ja die zweite Ruh' verhanden,
Und wie ist die erste schon so süß!
Frei und kühn obwohl in Trübsalsbanden
Bin ich schon im Kampf des Siegs ge-
   wiß.
Selig ruht mein Glaub' in Müh' und
   Schweiß,
:,:Doch die Hoffnung :,: hält den rech-
   ten Preis.

4. Hoffnung, Hoffnung, deine Sterne leiten
Meines Glaubens Schiff auf rechter
   Bahn!
Rechts und links kann ich die Klippen
   meiden,
Blick' ich nur vom Kreuz nach Canaan.
Licht und Recht strahlt mir von Golgatha
:,: Und so komm' ich :,: oft auch Tabor
   nah.

5. Himmelsheimath! o wie ist's so stille
In dem Vorhof deines Heiligthums.
Sinne schweigen und der eigne Wille
Stirbt — mit ihm die Qual des eignen
   Ruhms.
Hier bin ich wohl schwach und kleinge-
   sinnt,
:,: Dennoch welch' ein :,: selig's Hoff-
   nungskind!

Abendruhe nach des Tages Lasten.

Mel. Die Hoffnung.

1. Abendruhe nach des Tages Lasten,
Sei willkommen in der Stille mir!
O, wie wohl thut's nach der Arbeit rasten,
Wenn der Friede wohnt im Herzen hier!
Wie wird's erst am Feierabend sein,
:,: Gehn wir selig :,: in die Ruhe ein.

2. Ja es ist noch eine Ruh vorhanden
Für den Knecht und für das Volk des Herrn,
Wann des Kampfes Hitze überstanden,
O dann ruht beim Herr der Diener gern!

Sel'ge Ruhe nach der Mühe Schweiß.
:,: Wann die Arbeits- :,: treu empfängt den
Preis!

3. Himmelsheimath, stille Friedens-
wohnung,
Wo kein Leid mehr ist und kein Geschrei,
Wo des Heilands Nähe die Belohnung
Für die Seinen ist, und alles neu!
O, mein Heiland, bringe mich dahin,
:,: Wo ich nach der :,: Arbeit selig bin!

Jugendfreude.

1. Von Gott im Himmel selbst ward uns die Freude, Ward uns der Ju-gend Glück geschenkt;

Drum laßt uns mit Ge-sang und Fest-ge-schmeide Zu ihr jetzt zie-hen Hand in Hand.

Fei-er-lich schal-le der Jubelgesang, Schwebe gen Himmel im wogenden Klang. Ja Klang.

2. Versenkt in's Meer der jugendlichen
Wonne,
Lacht uns der Freuden hohe Zahl,
Lacht die Natur uns an im Glanz der
Sonne
Und bei des Mondes sanftem Strahl.
[Chor.

3. So wie es Gott gefällt, ihr lieben
Brüder,
Woll'n wir uns dieses Lebens freu'n,
Und unsrer Herzen dankbar frohe
Lieder
Dem guten Vater droben weih'n.
[Chor.

Zions Wacht.

Worte von F. Paulus.

Frisch, aber nicht zu schnell.

1. Es braust ein Ruf von Him-mels-höh'n, Wie Got-tes-stimm' und
2. Durch tau-send Her - zen zuckt es schon: „Hier Schwert des Herrn und

Gei-stes-weh'n: Zum Krieg, zum Krieg, zum heil'-gen Krieg! Wer
Gi - be - on!" Ein Feig-ling ist, wer ängst-lich zagt; Mit

Anmuthig.

folgt der Kreu-zes-fahn' zum Sieg? } Du klei - ne Schaar magst
Chri - sto sei der Kampf ge - wagt. }

ru-hig sein, Du klei - ne Schaar magst ru - hig sein,

127

Gott läs - set nie, läßt nie sein Volk al - lein,

Gott läs - set nie, läßt nie sein Volk al - lein.

3. Wie düster starrt der Sünde Nacht,
Wie furchtbar droht des Satans
Macht!
O Gott, vom Himmel schau darein,
Laß uns im Kampfe Sieger sein!
[Chor.

4. Schon rauscht es auf dem Schlachten-
feld,
Und kräftig waltet Juda's Held.
Es blitzt sein Schwert, die Kreuzes-
fahn',
Trägt er den Seinen selbst voran.
[Chor.

5. Auf, Brüder, folgt dem Gottessohn,
Durch Nacht zum Licht, durch Kreuz zur
Kron';
Und kämpfet fort, bis Er gesiegt,
Bis Alles Ihm zu Füßen liegt!
[Chor.

6. Laut braust der Ruf von Himmels-
höh'n,
Wie Gottesstimm' und Geistesw[…]'n:
Zum Krieg, zum Krieg, zum heil'gen
Krieg!
Uns führt Immanuel zum Sieg!
[Chor.

Germania, mit Gott allein!

Mel. Blenswacht.

1. Es geht ein Ruf dem Donner gleich
Durchs ganze große deutsche Reich:
O Land, o hoch begnadigt Land,
Erkenne Deines Gottes Hand!
Chor: Germania, mit Gott allein
Kannst fest und treu und stark
Du sein.

2. Wenn Gottes Wort in seiner Kraft
Das Volk durchdringt und Leben schafft,
Dann stellt sichs auch, ein tapfres Heer,
Genüber jedem Feind zur Wehr.
[Chor.

3. Ein Volk, das auf zum Himmel schaut
Und fest auf Gott den Herrn vertraut,
Das steht im Sturm voll Glaubens-
muth,
In seines Gottes starker Hut.
[Chor.

4. So lang auf Gottes Wort Du hörst
Und Recht und fromme Sitten ehrst,
So lange wirst Du, Deutschland, steh'n
Und Heil in Deinen Grenzen seh'n!
[Chor.

5. Ihr deutschen Stämme, schaaret Euch
Um Gottes Wort im ganzen Reich!
Erstarket als ein Volk des Herrn,
Dann bleibt Euch das Verderben fern.
[Chor.

Der Glanz der Gottesstadt.

Mit Gefühl.

1. Ach, wie gern will ich dies Le - ben, Wann es mei - nem
2. Dort ist erst das Freu - den - le - ben, Wo die un - zähl-

Gott be - liebt, Wil - lig in den Tod hin - ge - ben,
ba - re Schaar Von des Him - mels Glanz um - ge - ben,

Bin dar - ü - ber nicht be - trübt; Denn ich
Wird mit Chri - sto of - fen - bar, Wo die

hab' in Jesu Wunden Ein weit höh'-res Le - ben funden Und so
Sel'gen herrlich prangen Und das ho - he Lied an - fan-gen, Das durch

werb' ich al - le = zeit, Und so werb' ich al - le - zeit Schauen
al - le Himmel tönt: Dasdurch al - le Himmel tönt: „Preis sei

Got-tes Herrlich - keit keit, Schauen Got - tes Herrlich - keit.
Dem, der uns versöhnt! söhnt! Preis sei Dem, der uns ver-söhnt!

3. O Jerusalem, du schöne,
   Ach, wie helle glänzest du!
   Ach, welch' lieblich Lobgetöne
   Hört man da in stolzer Ruh!
   O, der großen Freud' und Wonne:
   Jetzo gehet auf die Sonne,
   :,: Jetzo gehet an den Tag, :,:
   Der kein Ende nehmen mag.

4. Ach, ich habe schon erblicket
   Diese große Herrlichkeit;
   Jetzo werd' ich schön geschmücket
   Mit dem weißen Himmelskleid;
   Mit der güld'nen Ehrenkrone
   Steh' ich da vor Gottes Throne,
   :,: Schaue solche Freude an, :,:
   Die kein Ende nehmen kann.

Die Abendglocke.

Mel. Der Glanz der Gottesstadt.

1. Schon die Abendglocken klangen,
   Und die Flur im Schlummer liegt,
   Wenn die Sterne aufgegangen,
   Jeder gern im Traum sich wiegt.
   Nur ein ruhiges Gewissen,
   Kann uns stets den Schlaf versüßen,
   :,: Bis der Morgenruf erschallt :,:
   Und vom Thurm die Glocke hallt.

2. Schlummert süß und jeden Morgen
   Weck' euch froh der Sonne Strahl,
   Schlummert süß und frei von Sorgen,
   Frei von Sünden, Angst und Qual.
   Nur ein ruhiges Gewissen,
   Kann uns stets den Schlaf versüßen,
   :,: Daß, wenn Gottes Ruf einst schallt, :,:
   Er nicht bang in's Herz euch hallt.

Für die Kleinsten.

Al - les wäh-ret kur - ze Zeit, Got-tes Lieb' in E - wig-keit.

Hör' mich, o Du Gottesmann.

Bewegt.

1. Hör' mich, o Du Got-tesmann, hö - re mich an! Ich hal - te und
Sieh', mei - ne Ge-fähr-ten sind Al - le vor - an, Ich nur bin ge-

laß Dich nicht ge - hen;
blie - ben zu sie - hen.
Wie Ja - kob ich ring': O
Ich laf - se Dich nicht, Du

hö - re mein Fleh'n, Er - lös' mich von Sünde und Sor - gen!
seg-nest mich denn, Und soll' ich auch kämpfen bis Mor - gen!

2. Ich brauch' nicht zu sagen Dir erst,
   wer ich bin,
Mein Elend und Noth mich verrathen;
Du kennst meinen Namen, Du zeich-
   netest ihn
In Hände der ewigen Gnaden.
   [Chor.

3. Vergeblich Du kämpfest, Du reißt
   Dich nicht los,
Ich hall' Dich mit zagenden Händen;
Du starbst ja am Kreuze verlassen und
   bloß,
Der Sünde Gefängniß zu enden.
   [Chor.

4. Die Bürde mich drücket, ich schmachte
   so sehr,
Und sinke im Schlamme der Sünden;
Ich habe mein Alles verloren. O Herr,
Mein Alles in Dir laß mich finden!
   [Chor.

5. Erlöser, ach sag', warum zögerst Du
   noch
Bei meinem inständigen Schreien,
Zerreiß meine Bande, zerbreche mein
   Joch
Und laß doch mein Kämpfen gedeihen.
   [Chor.

6. Die Nacht ist vergangen, der Morgen
   anbricht,
Immanuel hat mich erkoren;
Die Sonn' der Gerechtigkeit strahlet
   mir Licht,
Ich fühl' mich von Neuem geboren!

Chor. Ich höre Ihn sagen: „Ein Sie-
   ger bist du,
Du kämpfest, und hast obgelegen;
Dein Namen aus Gnaden nun
   Israel ist.‟
Gelobet sei Gott für den Segen!

„Drum liebe ich Jesus!"

Worte von P. A. Mölling.

1. Es blu-te-te das Lamm für mich Und starb am Kreuzes-stamm;

Daß durch sein O-pfer dort für mich Ich Wurm zu Gnaden kam.

Chor.

Drum lie-be ich Je-sus, Drum lie-be ich Je-sus,

Drum lie-be ich Je-sus, Den See-len-bräu-ti-gam.

2. Und war's für meine Sündenschuld,
Daß Ihm solch Leid geschehn?
O wer hat je solch große Huld,
Solch Sünderlieb gesehn?   [Chor.

3. Kein Wunder, daß der Sonne Strahl
Den Kreuzes-Altar mied;
Auf dem da in des Todes Qual
Das Lamm für mich verschied. [Chor.

4. Und ich vermag's, noch aufzusehn,
Wenn jetzt sein Kreuz erscheint?
Zu Thränen sollt ich ganz vergehn,
Aus Lieb und Dank geweint.   [Chor.

5. Doch zahlen Thränen, Leid und Müh'n
Ja meine Schuld Dir nicht;
Hier, Herr, ich geb' mich ganz Dir hin!
Ach, weiter kann ich nicht.   [Chor.

Der Kindheit Zeit.

1. Der Kindheit Zeit so froh mir lacht, Ich wandre ü - ber Berg und Thal;
2. Ich lieb' der Kindheit Zeit, sie bringt Mit jedem Tag mir neu - e Lust.

Erfreu' mich an der Blumen Pracht, Am Regen und am Sonnenstrahl,
O wer ist, der auch halb nur singt Das Glück der frohen Kinder - brust,

Am Regen und am Sonnenstrahl! Bei allen Din - gen sichtbar - lich,
Das Glück der frohen Kinder - brust! Ich seh' die Din - ge dieser Zeit,

Chor.

Die da in Wald und Garten sind, Blick ich zu Gott, der segnet mich,
Daß sie ein Lächeln Gottes sind, Ver-laf - se Sor-ge, Kummer Streit,

Und dank ihm, daß ich bin ein Kind. Ich blick zu Gott,
Und dank ihm, daß ich bin ein Kind; Ver-laf - se Sor-

ter fegnet mich, Und dank ihm, daß ich bin ein Kind, ein Kind.
ge, Kummer, Streit, Und dank ihm, daß ich bin, ich bin ein Kind.

Laßt uns anbeten.

Nicht zu schnell.

1. Her-bei, o ihr Gläub'gen fröh-lich tri-um-phi-rend, O kom-met, o kom-met nach
2. O Kö-nig der Eh-ren, Herr-führer der Heerschaaren, Verschmähst nicht zu ruhen in

Beth-le-hem! Se-het das Kindlein und zum Heil ge-bo-ren! } O laf-fet uns an-
Mariens Schooß, In wah-rer Gott, von E-wig-keit ge-bo-ren! }

be-ten, O laf-fet uns an-be-ten, O laf-fet uns an-be-ten den Kö-nig!

3. Kommt, finget dem Herren, fingt ihm
            Engelchöre!
   Frohlocket, frohlocket ihr Seligen!
   Ehre fei Gott im Himmel und auf
            Erden!   [Chor.

4. Dir, der du bift heute Mensch für uns
            geboren,
   O Jefu, fei Ehre und Preis und Ruhm,
   Dir Fleifch gewordnes Wort des ew'gen
            Vaters!   [Chor.

Das selige Leben.

Langsam.

1. Es ist ein sel'-ges Le - ben, An Je-su Brust zu ruhn, Und

kind-lich fromm er - ge - ben, Was Er ge-beut, zu thun, Und

kind - lich fromm er - ge - ben, Was Er ge-beut, zu thun.

2. Zu Seinen Füßen sitzen
Mit andachtsvollem Sinn,
Auf Ihn allein sich stützen,
Bringt ewigen Gewinn.

3. Drum kommt, ihr Menschenkinder,
Und flieht der Erde Tand,
Der Heiland aller Sünder
Beut euch die Rettershand.

4. Ergreifet voll Verlangen
Die Hand, für euch verwund't,
Er will euch gern umfangen
Und ziehn in Gottes Bund.

5. Er hüllt euch voll Erbarmen
In Seiner Unschuld Kleid,
Trägt euch auf Seinen Armen
Durch diese Lebenszeit.

Glaube, Liebe, Hoffnung.

Mel. Das selige Leben.

1. Ich weiß wohl eine Eiche
Und einen Epheu dran,
Verbunden mit einander:
Wer hat denn das gethan?

2. Und um den Stamm der Eiche
Schlingt sich der Epheu zart;
Sie können sich nicht lassen:
Wer hat sie so gepaart?

3. Die Wurzeln saugen beide
Dieselbe Nahrung ein.
Sie leben mit einander:
Weß Bild mag dieß doch sein?

4. O fraget nicht! als Christen
Kennt ihr das edle Bild,
Kennt jene starke Eiche
Und auch den Epheu mild.

5. Und soll ich doch es deuten?
So nehmt die Deutung an!
Die Eiche ist der Glaube,
Er strebet himmelan.

6. Der Epheu ist die Hoffnung,
Die fest zum Glauben steht,
Und ihrer Wurzeln Nahrung
Die Lieb', die nie vergeht.

Gedenke des Todes!
Mel. Das selige Leben.

1. Dort unten in der Mühle
Saß ich in süßer Ruh
Und sah dem Räderspiele
Und sah den Wassern zu. —

2. Sah zu der blauken Säge,
Es war mir wie ein Traum,
Die bahnte lange Wege
In einen Tannenbaum.

3. Die Tanne war wie liebend
In Trauermelodie,
Durch alle Fasern bebend
Sang diese Worte sie:

4. „Du kehrst zur rechten Stunde
O Wandrer, hier ein,
Du bist's, für den die Wunde
Mir bringt in's Herz hinein,

5. „Du bist's, für den wir werden,
Wenn kurz gewandert du,
Dies Holz im Schooß der Erden
Ein Schrein zur langen Ruh."

6. Vier Bretter sah ich fallen,
Mir war's um's Herze schwer;
Ein Wörtlein wollt ich lallen,
Da ging das Rad nicht mehr.

Die herrliche Nacht!
Mel. Das selige Leben.

1. Welch wundersel'ges Rauschen
Weht durch die stille Nacht!
Die Sterne droben lauschen,
Die Erde ist erwacht.

2. Die Wasserwogen schweigen
Und horchen dem Gesang,
Die hohen Palmen neigen
Ihr Haupt zum stillen Dank.

3. O Kinder, wenn ihr wüßtet,
Welch Wunder ist geschehn!
Die Engel selbst gelüstet,
Zu uns herab zu sehn.

4. Die heil'gen Engel bringen
Uns frohe Kunde her,
Die heil'gen Engel singen:
„Gott in der Höh' sei Ehr!"

5. „Ein Kindlein ist geboren,
Deß Name Wunderheld,
Vom Vater auserkoren
Zum Heil der ganzen Welt."

6. „Daß alle Kinder werden
Deß, der im Himmel thront,
Daß Friede hier auf Erden
Und Freude oben wohnt."

Der Herbst.
Mel. Das selige Leben.

1. Es kehret nunmehr wieder
In welkender Gestalt
Der Herbst—schon rauscht hernieder
Der Regen rauh und kalt.

2. Es weben rauhe Lüfte
Schon über Fluren hin;
Der Blumen sanfte Düfte
Sind vollends auch dahin.

3. Es will sich schon entfärben
Der grünbelaubte Wald;
Der Frost will ihn verderben —
Das Laub wird gelb und alt.

4. Es sind die schönen Tage
Des Sommers nun dahin;
Doch, daß man's nicht beklage:
Der Herbst bringt auch Gewinn.

5. Es soll, so lang die Erde
Sich um die Achs wird dreh'n,
Kein Sommer, Samen, Ernte,
Hitze, noch Frost vergeh'n,

6. Es sind die Jahreszeiten
Von Gott dazu gemacht,
Erquickung zu bereiten:
Drum ihm den Dank gebracht!

Die Union.

Marſchmäßig.   Worte von C. F. Paulus.

1. Ein Land iſt auf Er-den, dem keines ſonſt gleich, An Gold und an Schätzen und
2. Wo Freiheit die Bürger des Landes beglückt, Wo Tugend und Wahrheit die

Ver-zü-gen reich; Ihm gilt un-ſer Lied im er-ha-be-nen Ton, Dem
Her-zen entzückt; Da iſt es am ſchön-ſten ſtets un-ter der Sonn, Drum

Chor. ff

Lande der Frei-heit, der großen Union. } Heil der Union! Gott erhalt die Union!
preiſen wir freu-dig die große Union. }

Es le-be die Freiheit, es leb' die Union! Laut ſchall' unſer Lied bis zur äu-

ßer-ſten Zon': Gott ſchütz' unſre Heimath und er-halt die Union!

3. Wohl drohte ſchon manchmal Gefahr
    unſrem Land;
   Doch Gott hat ſie immer noch von uns
    gewandt.
   Ihm trauen wir feſt, wenn die Feinde
    uns drohn
   Und kämpfen für Freiheit und für die
    Union.   [Chor.

4. Weit reiche dein Ruhm bis an's äu-
    ßerſte Meer,
   Und niemals erbleiche dein Banner,
    ſo hehr;
   In jeglichem Lande und jeder Nation,
   Da preiſe man glücklich die große Union.
                                    [Chor.

Land vor uns!

Worte von J. A. Reitz.

1. Land vor uns! dort liegt die Kü-ste, Winkt des lie - ben Va-ters Haus;
2. Schifflein, nur noch et-was wei-ter! Sei'-ge seh' ich dort am Strand,

Auf denn, Schiffer, muthig rü - sie Dich, zu se - geln dort hin - aus.
Die mir win-ken froh und hei-ter, Die auf Er - den mich ge - kannt.

Chor.

Sturm und Käm - pfe die-ser Zeit Weichen dort der Se-lig - keit.

Werft den An - ker freu-dig aus; Glücklich sind wir bald zu Haus.

3. Ja, dort laßt uns fröhlich ankern,
   Wo die Lebensbäume blühn,
   Um an Freundeshand zu wandern
   Unter Hügeln immergrün.　[Chor.

4. Gott sei Dank, hier sind wir sicher,
   Alles Leiden ist nun aus;
   Preis sei unsrem treuen Führer,
   Glücklich sind wir nun zu Haus. [Chor.

138

Wir wanken nicht!

Marschmäßig.   Worte von C. F. Paulus.

1. Wir er-grei-fen al-le unf're Waff' und Wehr, Und versammeln uns um Je-su Banner her;
D.C. Got-tes Vo-lle schließen freudig wir uns an, Zieh'n im Glauben hin nach jenem Ca - na-an.

In dem Kampf um Got-tes Reich und Gottes Ehr', Wanken wir nicht bis zum   Tod.
Wo die Kron' uns winkt am End' der Sie-ges-bahn, Wanken nicht bis in den   Tod.

Lob und Preis, Lob und Preis, Kraft und Macht, Kraft und
Macht, Sei dem Herrn, Sei dem Herrn, Nun und in der E-wig-keit.

2. In der Sonntagschule rüsten wir uns aus,
   Mit des Geistes Kraft zu jedem schwe-
   ren Strauß,   [hinaus,
   Und dann ziehen freudig wir in's Feld
   Wanken nicht bis in den Tod. [Chor.

3. In dem Kampfgewühl ist Jesus immer
   nah,
   Wenn Gefahr uns droht, ist er als
   Helfer da.
   Darum jauchzen wir getrost Halleluja!
   Wanken nicht bis in den Tod. [Chor.

4. „Seid getreu, ihr Streiter, bis an
   euren Tod!"
   Also lautet eures großen Herrn Gebet.
   Ist der Kampf auch schwer, wächst täg-
   lich Angst und Noth,
   Wanket nicht bis in den Tod. [Chor.

5. Auf des Kampfes Ringen folgt die
   ew'ge Freud,
   Und auf Salems Auen schweiget alles
   Leid,
   Dort ist alles, alles Glück und Seligkeit.
   Wanket nicht bis in den Tod! [Chor.

Sicher in Jesu Armen.

1. Si = cher in Je = fu Ar = men, Si = cher an fei = ner Bruft,
Ru=hend in fei = ner Lie = be, Da find ich Him=mels = luft.
Mit hol=der Hir = ten = ftim = me Ruft mir mein Hei = land zu:
Laß ab vom eig=nen Rin=gen; An mei=nem Her = zen ruh'. D. C.

2. Sicher in Jesu Armen,
Los von der Sorge Qual,
Sicher vor Satans Stürmen
In Jesu Wundenmaal.
Frei von dem Druck des Kummers,
Weg aller Zweifel Spur;
Nur noch ein wenig Prüfung,
Wenig mehr Thränen nur.
Sicher in Jesu Armen,
Sicher an seiner Brust,
Ruhend in seiner Liebe,
Da find ich Himmelslust.

3. Jesu, des Herzens Zuflucht,
Jesu, du starbst für mich!
Sicher auf diesem Felsen,
Stütz' ich mich ewiglich.
Hier will ich stille warten,
Bis daß vergang'n die Nacht,
Bis an dem gold'nen Ufer
Leuchtend der Tag erwacht.
Sicher in Jesu Armen,
Sicher an seiner Brust,
Ruhend in seiner Liebe,
Da find' ich Himmelslust.

12

Hebt mich höher!

1. Hebt mich hö-her, hebt mich hö-her Aus der Sün-de dunk-ler Nacht,

Rü-cket mich dem Heiland nä-her, Der am Kreuz für mich voll-bracht!

En-gel kommt, schwingt eu-re Flü-gel, Tragt mich hin auf Golga-tha,

Daß ich seh' auf je-nem Hü-gel, Was für Sün-der dort ge-schah!

2. Hebt mich höher, hebt mich höher
Aus der Schmerzen trüber Fluth!
Immer weher, immer weher
Thut des Leidens Feueröglath.
Engel kommt, schwingt eure Flügel,
Traget mich auf Tabors Höh'n,
Wo auf dem Verklärungshügel
Alle Schmerzen schnell vergehn!

3. Hebt mich höher, hebt mich höher
Aus der armen Erdenwelt
Immer näher, immer näher
Zu des Himmels Lichtzezell.
Engel kommt, schwingt eure Flügel
Und hebt mich zum Herrn empor,
Tragt mich hin auf Zionshügel,
Oeffnet mir das Perlenthor.

Bitte.

Mel. Hebt mich höher.

1. Führe mich, o Gott Jehovah,
Pilgernd durch dies öde Land;
Ich bin schwach, doch Du bist mächtig;
Halte mich mit starker Hand!
Deffne die krystallne Quelle,
Der die Lebensfluth entspringt,
Sei Du meine Feuersäule,
Die mich durch die Wüste bringt.

2. Speise mich mit Himmelsmanna
In dem Elend dieser Zeit, [Banner.
Sei mein Schwert und Schild und
Sonne der Gerechtigkeit!
Komm' ich zu des Jordans Fluthen,
Sprichst Du Trost und Muth mir ein.
Tod des Todes, Gift der Hölle,
Laß mich bald geborgen sein.

Die Kinder und die Mission.

Mel. Hebt mich höher.

1. Kinder, ach wie seid ihr selig,
Euer ist das Himmelreich,
Immer heiter, immer fröhlich,
Bleibet ihr den Engeln gleich;
Jesus liebt euch, liebe Kinder,
Trägt euch gern auf seinem Arm,
O, so liebt auch ihn nicht minder,
Habt für ihn ein Herze warm.

2. Aber seht, wie viele Kinder
Kennen ihren Heiland nicht,
Ach den armen Heidenkindern
Scheinet nicht das Gnadenlicht!—

Haben Schulen nicht und Lehrer,
Kirchen nicht und Prediger,
Irren, Schafe ohne Führer,
In der Wüste wild umher;—

3. Darum betet, liebe Kinder,
Für die arme Heidenwelt,
Bis der große Ueberwinder,
Jesus, sie gefesselt hält.
Legt auch eure kleinen Gaben
Willig Gott zu Füßen hin;
Auch die kleinsten Scherflein haben
Reichen, seligen Gewinn.

Gebet.

Mel. Hebt mich höher.

1. Schwach und matt und unvollkommen
Nah ich, Herr, zu Deinem Thron,
Habe Muth dazu genommen,
Denn Du rufst mich, Gottes Sohn.
Tiefgebeugt und schwer beladen
Schau' ich hoffend doch empor,
Nimm Du, Herr, mich an in Gnaden
Und verschließe nicht Dein Ohr.

2. Hör' mich, hilf mir, Ueberwinder,
Der am Kreuze für mich litt,
Herr, ich weiß, ich bin ein Sünder!
Ach erlöse mich auch mit.
Stärke Du mir Herz und Hände
In des Lebens Pilgerlauf.
Laß mich treu sein bis an's Ende,
Zieh mich, Herr, zu Dir hinauf.

Was ich liebe.

Mel. Hebt mich höher.

1. Herr, Du weißt, daß ich Dich liebe,
Dich mein Leben und mein Licht!
Ob Dir keiner treu verbliebe,
Herr, mein Gott, ich laß Dich nicht!
Wie ein Freund dem Freund sich giebet,
Geb' ich Dir, o Jesu, mich;
Wie ein Kind die Mutter liebet,
Jesu Christ, so lieb ich Dich!

2. Herr, ich habe lieb die Stätte,
Da Du wohnst, o Gottessohn!
Wenn ich Kron' und Scepter hätte,
Legt' ich sie vor Deinen Thron,
Kniete still mit all' den Meinen,
Herr, vor Deinem Hochaltar,
Dankesthränen Dir zu weinen
Mit der großen Kinderschaar!

3. Herr, ich liebe, die Dich lieben,
Die in Deinem Buche stehn,
Die, von Deiner Lieb' getrieben,
Hier den Weg des Lebens gehn!
Wo ich Deine Jünger schaue,
Wird mir heimathlich zu Sinn,
Zieht zur grünen Himmelsaue
Freier meine Seele hin.

4. Herr, Du kennest alle Dinge,
Kennest meines Herzens Grund;
Herr, Du weißt, daß zu geringe,
Was von Liebe lallt mein Mund.
Ist das Stückwerk einst gefallen,
Dieses Lebens Lust und Schmerz,
Will ich nicht mehr Lieder lallen—
Sinke liebend an Dein Herz!

Himmlische Boten.

Moderato, mit Ausdruck.   Worte von J. A. Reitz.

1. O, ich seh die schönen En-gel, Wie sie freundlich um mich stehn! Gold'ne

Harfen in den Händen, Freunde, könnt ihr sie nicht sehn? Schöne Himmelsmusik

klin-get Lieblich sanft zu mir her-ab, Und ein lich - ter Seraph bringet

Chor. Mit Ausdruck und präcis.

Mir's Ge-leit zur Himmelsstadt.   Wenn die Fluth des Todes - jor-dans

cresc. - - - - - - -

Ueber mich einst bricht her - ein,   Werden dann die gu-ten En-gel, Liebreich

2. Erdenfreuden sind vergänglich —
   Alle müssen sie vergehn.
   Aber jene Himmelsfreuden
   Werden ewiglich bestehn.
   Wenn befreit von dieser Erde,
   Wird mein Geist sich recht erfreu'n;
   Denn in jenem Land der Wonne
   Werden Engel um mich sein. [Chor.

3. Wie erquickt mich ihre Nähe
   In dem stillen heil'gen Raum!
   Stehn bei mir im letzten Kampfe
   Und der Tod berührt mich kaum.
   Scheid ich auch von lieben Freunden,
   Deren Auge um mich weint, —
   Alles wohl—denn seht ihr Theuren,
   Engel werden um mich sein. [Chor.

Für die Kleinsten.

1—2. Gu-ten Tag, gu-ten Tag! Hö-ret, hö-ret, was ich sag'!

1. Gottes Frie-den sei be-schie-ren euch an die-sem Tag!
2. Gottes Ga-ben sollt ihr ha-ben auch an die-sem Tag!

Haltet aus.

Worte von P. A. Mölling.

1. Brü = der, seht die Feu = er = zei = chen Fern am Him = mel glühn!
2. Sieh, die feind = li = chen Co = lon = nen, Sa = tan führt sie an!

1. Hül = fe wird uns ei = lend kom = men Und der Feind muß fliehn!
2. Wür = de nicht die Hül = fe kom = men, Wär's um uns ge = than!

Chor.

Hal = te t aus; denn er wird kom = men, Je = sus, eu = er Held;

Jauchzt mit Freuden: „Herr, wir wol = len; Gieb uns Muth im Feld!"

3. Sieh, sie rüsten sich zum Sturme,
   Hör' das Kriegsgeschrei!
   Doch ich seh das Feuerzeichen,
   Christus kommt herbei. [Chor.

4. Sieh, das ist die Kreuzesfahne,
   Horch! Trompetenton!
   Bruder, Muth, es sei die Losung:
   „Christus, Gottessohn!" [Chor.

5. Nimmer weichen, muthig streiten,
   Thun wir unsre Pflicht!
   Hat er uns die Hülf' versprochen,
   Seht, so fehlt er nicht. [Chor.

6. O du Wunder reicher Gnade,
   Jesus, o wie schön!
   Wo wir glauben, wo du nahest,
   Ist das Heil gescheh'n. [Chor.

Jesus liebt mich.

1. Je-sus liebt mich ganz ge-wiß, Denn die Bi-bel sagt mir dies.
2. Je-sus liebt mich, denn Sein Blut Floß am Kreuz auch mir zu gut,

1. Al-le Kin-der schwach und klein, Lad't Er herz-lich zu sich ein.
2. Er wäscht mich von Sün-den rein, Wenn ich zu Ihm keh-re ein.

Chor.

Je-sus liebt mich ganz ge-wiß, Denn die Bi-bel sagt mir dies.

3. Jesus liebt mich, wenn kein Mann
Meine Krankheit heilen kann;
Wachend sieht Sein Aug' auf mich,
Ruft mir zu, Ich liebe dich. [Chor.

4. Jesus liebt mich, Er mein Hirt,
Führt mich recht, wenn ich verirrt.
Bleib ich hier auf Erden Sein,
Führt Er mich zum Himmel ein. [Chor.

O, sei treu!

Mel. Jesus liebt mich.

1. Kindlich, doch mit festem Sinn
Gieb dein Herz dem Heiland hin,
Seine Gnade steht Dir bei:
Er ist gut, ja Er ist treu.
Chor. Kindlich, doch mit festem Sinn
Gieb dein Herz dem Heiland hin.

2. Er ist Leben und ist Licht,
Schenk ihm volle Zuversicht.
Er macht alles in dir neu,
Sieh' wie gut Er ist und treu! [Chor.

3. Er versorget dich mit Brod
Und verläßt dich nicht im Tod,

Macht das Herz von Sorgen frei:
Wie ist Er so gut und treu! [Chor.

4. Weih' dich bis zur Todesstund'
Ihm aus tiefstem Seelengrund.
Stirbst du dann und ist's vorbei,
Rufen Engel: er war treu! [Chor.

5. Droben in der goldnen Stadt,
Welche ihn zur Sonne hat,
Singt dein sel'ger Mund es frei:
O wie gut war Er, wie treu!
[Chor.

Gnadenabgrund.

Aus dem Singvögelein.

1. Gnaden-ab-grund, darf ich doch,
Läßt mein Gott die Schuld mir nach,
Jetzt auf Gna-de hof-fen noch;
Wie ich bin voll Sünd' und Schmach?

2. Lang hört' ich sein Locken nicht,
Ihn, der Sünder ruft und liebt,
Lan-ge mied ich sein Gesicht;
Hab' ich tau-send-mal be-trübt.

Chor.

Darf ich's wa-gen, liebt Er mich? Je-sus lebt und lie-bet dich;

Je-sus lebt, Er lebt und lie-bet dich.

3. Schenk mir Buße, Gott voll Huld,
Ueber meine Sündenschuld.
Gieb mir Glaubenskraft, mein Herr,
Daß ich sündige nicht mehr!

[Chor.

4. Neig' zu mir Dein gnädig Ohr,
Deffne Deiner Wunden Thor!
Daß ich schaue, wie Du liebst,
Wie Du Sündern noch vergiebst.

[Chor.

Für die Kleinsten.

Das Christuskind.

Nicht zu schnell.

1. Al-le Jah-re wie-der, Kommt das Chri-stus Kind

Auf die Er-de nie-der, Wo wir Men-schen sind.

2. Kehrt mit seinem Segen
Ein in jedes Haus,
Geht auf allen Wegen
Mit uns ein und aus.

3. Ist auch mir zur Seite
Still und unerkannt,
Daß es treu mich leite
An der lieben Hand.

147

Das Waſſer des Lebens.

1. Jeſus das Waſſer des Lebens gibt Al-len, die Ihn lie-ben,
Kommt zu dem Lebensquell, trinkt und lebt Al-le, Al-le, Al-le!

Jeſus das Waſſer des Lebens gibt Allen, die Ihn hier lieben.
Kommt zu dem Lebensquell, trinkt und lebt, Alle, die Je-ſum - - - lieben.

Chor.

Der Geiſt und die Braut die ſprechen: Kommt Al-le, kommet Al-le Und

wen darnach dürſt't, der komm ſofort Und ſchöpf' aus der Quelle des Heils.

Der Brunnen des Lebens flie-ßet, Fließt für Al-le, flie-ßet, Der

Brunnen des Lebens flie-ßet. Er flie-ßet für dich und für mich.

2. Jeſus hat Wohnungen ſchon bereit
   Allen, die Ihn lieben,
   Jeſus hat Wohnungen ſchon bereit
   Allen, die Ihn hier lieben.
   Köſtliche Schätze, die nie vergehn
   Allen, die Ihn lieben,
   Köſtliche Schätze, die nie vergehn
   Allen, die Ihn hier lieben.
   [Chor.

3. Jeſus beſcheeret ein weißes Kleid
   Allen, die Ihn lieben,
   Jeſus beſcheeret ein weißes Kleid
   Allen, die Ihn hier lieben.

Goldene Kronen empfangen dort
   Alle, die Ihn lieben,
   Goldene Kronen empfangen dort
   Alle, die Ihn hier lieben.
   [Chor.

4. Ewige Ruhe verheißt der Herr
   Allen, die Ihn lieben,
   Ewige Ruhe verheißt der Herr
   Allen, die Ihn hier lieben.
   Wonne und Freude, die ewig währt
   Allen, die Ihn lieben,
   Wonne und Freude, die ewig währt
   Allen, die Ihn hier lieben.
   [Chor.

13

Die Heidenboten.

Erhaben.

1. Doch-ge-seg-net seib ihr Bo-ten, Die der Herr in's fer-ne Land

Zu den Blinden und den Todten Heil ver-kün-dend aus-gesandt. In den

Blin-den und den Tod-ten Heil verkündend aus-ge-sandt.

Drin-get wei-ter durch die trü — — be Schreckens-
wei-ter durch die trü — — be Schrecken-vol-le

Drin-get wei-ter durch die trü — — be Schrecken-

vol - le Fin - ſter - niß. Eu - ren Glau-ben, eu - re
Fin - ſter - - niß,

vol - le Fin - ſter - niß,

Lie - be Krönt der Herr mit Sieg ge - wiß! Euren Glauben, eu-re

Euren Glau - ben, eu-re

Lie - be Lie - - be Krönt der Herr mit Sieg ge - wiß!

2. O! ihr glaubensſtarken Streiter,
Ohne Kriegsgeräth und Schwert,
:,: Dringet nur erobernd weiter,
Eures Herren iſt die Erd', :,:
Der ſanfte, wird euch helfen,
Euer König ſieht euch bei,
:,: Ob auch Schafe unter | Wölfen |
Sollt ihr wandeln froh und frei. :,:

3. Liebe hat euch angetrieben,
Fachte hell die Sehnſucht an,
:,: An den Brüdern auszuüben,
Was der Herr an euch gethan. :,:

Darum ſucht ihr nicht das Eure,
Sucht nicht Ehre, Ruhm und Gut,
:,: Nein, ihr preiſet nur das | theure |
Für die Welt vergoß'ne Blut. :,:

4. Hoſannah! jubeln, ſingen
Tauſende nach Nacht und Pein,
:,: Und die fernſten Völker dringen
In das Himmelreich hinein; :,:
Und viel tauſend Kniee beugen
Sich vor Chriſto, Gottes Sohn;
:,: Und das iſt, ihr treuen | Zeugen, |
Eurer Arbeit ſüßer Lohn. :,:

Für die Kleinſten.

Mäßig.

Gott ſchuf die hol - de Son - ne, Er gab dem Tag ſein

Licht; Und mir, mir gab er Won - ne Bei treu - er-füll - ter Pflicht.

Alles wohl.

Worte von J. J. Keller. (Kann als Grablied benutzt werden.)

1. Al - les wohl! Al - les wohl! Al - les wohl! Sein
2. Al - les wohl! Al - les wohl! Al - les wohl! Ob

Weg ist im - mer gut, Zu Al - lem, was Er
tief und groß der Schmerz, Er heilt das wun - de

thut, Ob - gleich wir's nicht ver - stehn.
Herz, Denn Er ver - steht's zu thun.

3. Alles wohl! Alles wohl! Alles wohl!
Ob wir auch tragen Leid,
Je größer wird die Freud' —
An jenem, großen Tag.

4. Alles wohl! Alles wohl! Alles wohl!
Der Weg, den Jesus ging,
So dunkel, rauh er schien
Und war, führt' heim zu Gott.

5. Alles wohl! Alles wohl! Alles wohl!
D'rum Seele schau hinauf,
Bald endet auch dein Lauf,
Und du kommst dann auch heim.

6. O, dann wohl! O, dann wohl! O,
dann wohl!
Wenn mit den Lieben dort,
Wirst stehn am heil'gen Ort;
Wie glücklich wirst du sein!

Für die Kleinsten.

Mäßig munter.

Wir sin - gen dir mit Herz und Mund, er - hö - re un - sern Dank; und

seg - ne, Gott, den Kin - der - bund und sei - nen Früh - ge - sang.

Heimgang.

1. Laßt mich gehn, Laßt mich gehn, Daß ich Je-sum mö-ge sehn; Mei-ne Seel ist voll Ver-lan-gen, Ihn auf e-wig zu em-pfan-gen, Und vor sei-nem Thron zu stehn.

2. Süßes Licht, süßes Licht,
Sonne, die durch Wolken bricht:
O, wann werd ich dahin kommen,
Daß ich dort mit allen Frommen
Schau dein holdes Angesicht!

3. Ach, wie schön, ach, wie schön
Ist der Engel Lobgetön!
Hätt' ich Flügel, hätt' ich Flügel,
Flög ich über Thal und Hügel
Heute noch nach Zions Höhn!

4. Wie wird's sein, wie wird's sein,
Wenn ich zieh in Salem ein,
In die Stadt der goldnen Gassen —
Herr, mein Gott, ich kann's nicht fassen,
Was das wird für Wonne sein!

5. Paradies, Paradies,
Wie ist deine Frucht so süß!
Unter deinen Lebensbäumen
Wird uns sein, als ob wir träumen:
Bring uns, Herr, in's Paradies! —

Pfingstgebet.

Mel. Heimgang.

1. Geist des Herrn, Geist des Herrn,
Komm' herab, bleib' nicht fern!
Komm', erfülle die Gemüther,
Daß wir werden Jesu Glieder,
:,: Daß wir werden Jesu Leib :,:

2. Geist des Herrn, Geist des Herrn,
Komm' herab, bleib' nicht fern!

Komm', erfülle unsre Herzen,
Tröst' uns ob der Sünden-Schmerzen,
:,: Laß uns deine Wohnung sein :,:

3. Geist des Herrn, Geist des Herrn,
Komm' herab, bleib' nicht fern!
Leit' uns, Herr, in alle Wahrheit,
Führ' uns zu der ew'gen Klarheit,
Führ' uns, Herr, zum Himmel ein! :,:

Der Erlöser von Sünden.

Feierlich.

1. Wer ist es, der mich von Sünden befreit? Mein Herze rei-nigt und

völ-lig er-neut? Wer ist es, der mich von Sünden befreit? — —

Her-ze reinigt und völ-lig erneut? Es ist der Er lö-ser

Je - sus Christ, Der für dich am Kreu-ze ge-stor-ben ist. Es

ist der Er-lö-ser Je-sus Christ, Der für dich am Kreu-ze ge-

ſtor = ben iſt, Der für dich am Kreu = ze ge = ſtor = ben iſt.

2. Darf ich, wie ich bin, zu Jeſu mich
    nahn?
   Wird er mich Armen auch gnädig em-
    pfahn?
   O, komm nur getroſt, komm arm und
    klein,
   Und gieb ihm dein Herze, er macht dich
    rein.

3. Ich komm, o mein Jeſu, gläubig zu Dir,
   Mein Herz und alles, ich bringe es hier:

O, nimm es, Erbarmer, nimm es an;
Ich geb Dir's, ſo gut ich es geben
    kann.

4. Was iſt es, das mich ſo himmliſch
    beglückt?
   O ſagt, was iſt's, das mein Herze ent-
    zückt?
   Der theure Erlöſer macht mich rein;
   Sein bin ich auf ewig, und er iſt
    mein.

Unſre Wächter und unſer Führer.

Mäßig.

1. Wer leucht' uns denn in der ſin = ſte = ren Nacht, In der
2. Wer führt bei Tag uns auf ſi = che = rem Weg, Uns auf

finſtren Nacht ſo hell? Das thun dir lieben, lie=ben Enge=lein, Die
ſichrem Weg ſo treu? Das thut der lie=be, lie=be Jeſus Chriſt, Der für

ſol=len heut' Nacht unſre Wächter ſein, Unſre Wächter in der Nacht.
uns an dem Kreu=ze ge=ſtor=ben iſt, Der führt uns auf ſichrem Weg.

Ist dies der Weg? (Chant-Gesang.)

Worte von J. A. Reitz.

1. Ist dies der Weg, mein Vater? | O ja, mein Kind; | Du mußt durch diesen dunkeln

Weg nun gehn | Willst du die Stadt des großen | Königs sehn | Wo dei - ne Heimath ist. |

2. Sind Feinde auf dem Wege? | Ja wohl, mein Kind; |
Wo du's nicht denkst, da lauert | dein ein Feind, |
Doch siegen sollst du stets, wenn | du vereint |
Mit Gott den Kampf beginnst. |

3. Mein Vater, es ist dunkel! | Komm, nimm die Hand, |
Mein Kind, und halte dich recht | nah' zu mir, |
Ich bring dich glücklich durch zum | schönen Land, |
Wo all die Frommen sind. |

4. Mein Fuß will straucheln, Vater! | Kind blick empor; |
Dein Auge richt' auf mich, wenn | steil der Pfad. |
Ich werd' dich nicht verlassen. Für | meine Gnad' |
Wird droben mir dein Dank. |

5. O Vater, ich bin müde! | Kind, komm zu mir |
Und leg dein müdes Haupt an | meine Brust; |
Es ist ja meine Freud' und | meine Lust, |
Dich glücklich einst zu sehn. |

Komm zu mir! (Chant.)

1. Mit feuchtem Aug' blick ich empor Auf diesem stürmbe - | weg - ten Meer, |

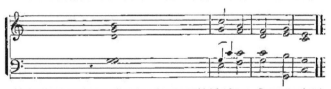

Da trifft ein sanfter Ton mein Ohr, Ein himmlisch | Flüstern: „Komm zu mir." |

2. Er zeigt mir einen Ort der Ruh',
Wo Freud und Fried soll | werden mir,
O wie erquickend wirkt der Ruf!
Gewiß, mein | Gott, ich komm zu dir.

3. Wenn's hart und schwer der Seele däucht,
Sich trennen von der | Erde hier |
So hör' ich, wenn das Leben fleucht,
Die holde | Stimme: „Komm zu mir." |

4. „Komm, denn die Erde muß vergehn,
Sie bietet keine | Heimath dir |
Dein müdes Aug' laß auf mich sehn,
Ich bin dein | Erbtheil — komm zu mir." |

5. O Stimm' der Liebe und der Gnad',
Trifft mich auch Noth und | Angst allhier, |
Sei du mein Leitstern bis zum Grab,
Dann ruf' mir | freundlich: „Komm zu mir." |

Gott ist die Liebe.

1. Gott ist die Lie - be, Läßt mich er - lö - sen; Gott ist die
2. Ich lag in Ban-den Der schnö-den Sün - de; Ich lag in

Chor.

Lie - be, Er liebt auch mich.
Ban-den Und konnt nicht los. } Drum sag ich noch ein-mal:

Gott ist die Lie - be, Gott ist die Lie - be, Er liebt auch mich.

3. Er sandte Jesum,
Den treuen Heiland;
Er sandte Jesum
Und macht' mich los. [Chor.

4. Er ließ mich laden
Durch's Wort der Gnaden;
Er ließ mich laden
Durch seinen Geist. [Chor.

5. Du heilst, o Liebe,
All meinen Jammer;
Du stillst, o Liebe,
Mein tiefes Weh! [Chor.

6. Dich will ich preisen,
Du ew'ge Liebe,
Dich will ich loben,
So lang ich bin. [Chor.

Der Pilger aus der Ferne.

Der Pil - ger aus der Fer - ne, Zieht sei - ner Hei - math zu;

Dort leuch-ten sei - ne Ster - ne, Dort sucht er sei - ne Ruh'.

2. Der Menschen-Ehre Schimmer,
Stolz, Eitelkeit und Pracht
Verachtet er für immer
Und lebt in Gottes Macht.

3. Die Ströme zieh'n hinunter
In's wogenreiche Meer,
So zieht der Pilger munter
Dahin zu Gottes Ehr'.

4. Von Engeln sanft getragen
Eilt er in Christi Schooß,
Sein Glück, wer kann es sagen?
Ist dann unendlich groß.

5. Drum fühlt er auch hienieden
Ein Heimweh früh und spät,
Ihn zieht's nach jenen Hütten,
Wo ew'ger Friede weht.

Ganz des Herrn.
Mel. Der Pilger aus 2c.

1. Ach wär' ich ganz Dein eigen!
Wie wär' mir da so wohl.
Wie wär' im tiefsten Schmerze
Mein Herz so friedenvoll.

2. Ach, wenn ich nur recht kindlich
Mich legt in Deinen Schooß,
Wie wär' ich da so gänzlich
Der Wünsch' und Sorgen los.

3. Ach könnt' ich Dich nur halten,
Mein Heiland, fest allzeit.

Wie wär' ich da ein Sieger
In jedem süßen Streit.

4. Ach, wenn mein ganzes Herze
Nur liebte Dich allein,
Wie würd' mein ganzes Leben
Hienieden selig sein.

5. Zieh' ein mit Deinem Frieden,
Erfüll' es lebenslang,
Und wenn's hier ausgeschlagen,
Nimm Du es in Empfang.

Des Kindes Wunsch.
Mel. Der Pilger 2c.

1. Das Kind steht mit der Mutter
In kühler Sommernacht,
Sie sehen still gen Himmel
In goldner Sternenpracht.

2. „O Mutter, liebe Mutter,
Sieh nur die Sternlein all!
Wie schmücken sie so herrlich
Den weiten Himmelssaal."

3. „„Mein Kind gar herrlich glänzen
Die Stern' am Himmel hoch,
Doch ist es über ihnen
Wohl vielmal schöner noch.

4. Denn dorten thront erhaben
Dein Heiland Jesus Christ,
Der aller Himmel Himmel
Glorreicher König ist.

5. Drum loben und erheben
- Nun alle Engel Ihn,
Und alle Sel'gen jauchzen
Ihm zu mit frohem Sinn."""

6. „O wär' ich wie ein Engel
In jenem sel'gen Land!"
Versetzt das Kind, sein Auge
Zur Mutter ernst gewandt.

7. Sie fuhr es still nach Hause,
Ihr Auge strahlt so süß.
Gar viel wohl noch erzählte
Sie ihm vom Paradies.

8. Doch wenig Wochen später
An seinem Sarg sie stand.
Es war nun wie ein Engel
In jenem sel'gen Land.

Die Thräne der Mutter.
Mel. Der Pilger aus rc.

1. Ich stand bei meiner Mutter,
Die mich so herzlich liebt;
Sie war ganz still und traurig,
Ich hatte sie betrübt.

2. Ich hatte meine Hände
Auf ihren Schooß gelegt,
War auch ganz still und traurig,
Im Herzen tief bewegt.

3. Da fiel ein heißer Tropfen
Herab auf meine Hand;
Er kam aus ihrem Auge,
Ich hab' ihn wohl erkannt.

4. Schnell stand sie auf, die Mutter,
Und sprach dabei kein Wort,

Sie drückte meine Hände
Und ging dann schweigend fort.

5. Ich habe sie verstanden,
Warum sie hat geweint!
Ich habe sie verstanden,
Wie gut sie's mit mir meint!

6. Nie will ich mehr betrüben
Das liebe Mutterherz,
Nie soll sie wieder weinen
Um mich vor Gram und Schmerz

7. An diese Thräne will ich
Gedenken immerdar,
Die Thräne, die ein Zeichen
So heißer Liebe war!

Neujahrslied.
Mel. Der Pilger aus rc.

1. Das Jahr ist nun zu Ende,
Doch deine Liebe nicht;
Noch segnen deine Hände,
Noch scheint dein Gnadenlicht.

2. Des Glückes Säulen wanken,
Der Erde Gut zerstäubt,
Die alten Freuden wanken;
Doch deine Liebe bleibt.

3. Der Jugend Reiz vergehet,
Des Mannes Kraft wird matt:

Doch innerlich erstehet,
Wer dich zum Freunde hat.

4. Erheben gleich die Sünden
Des alten Jahres sich;
Du lässest Heil verkünden
Und wirfst sie hinter dich.

5. Du heilest allen Schaden,
Hilfst mir aus der Gefahr,
Du siehst mich an in Gnaden
Auch in dem neuen Jahr.

Am Abend.
Mel. Der Pilger aus rc.

1. Nun ist es Abend worden,
Nun bricht die Nacht herein,
Nun wachen auf am Himmel
Die güldnen Sternelein.

2. Ich steh' am Fenster sinnend
Und schaue in die Nacht.
Wie ist's ringsum so stille!
Und droben welche Pracht!

3. Wie glüht es dort und flimmert!
Was sagt die güld'ne Schrift?
Kannst du, mein Herz, es lesen,
Sag, ob's wohl dich betrifft?

4. Ja wohl, ich kann es lesen,
Es ist ein köstlich Wort,
Es sagt, mein lieber Vater
Hab' Seine Wohnung dort.

Heimath.

1. Wenn weit in den Lau-ben wir schwei-fen um-her, Wie die
2. Von Hau-se ent-fer-net, das se-lig-fte Glück,

Hei-math, so fin-den kein Pläh-chen wir mehr. Haft
schmäh' ich und wün-fche mein Hüt-chen zu-rüd, Wo

braußen auch er-flemmen der Wonne Gipfel du, So wird dir nimmer
hell die Böglein fin-gen vor meinem Fenfter mir; Ach! all' der Himmels-

wer-ten der Heimath hol-de Ruh. Hei-math, Va-ter-land!
frieden wohnt nirgends fo wie hier. Hei-math, Va-ter-land!

Nichts gleicht der fü-ßen Hei-math, dem fü-ßen Va-ter-land!

Herrliches Land der Ruh'.

Worte von J. A. Reitz.

1. Mein Herz mit Sehnsucht war-tet Dein, — Herr-li-ches Land der Ruh'; Tu
2. Wie wird sich da der Pil-ger freun, —Herr-li-ches Land der Ruh'; Zu

Him-mels-heimath schön und rein—Herr-li-ches Land der Ruh'; Mein Lobliod sei Dir
Dei-ner Herr-lich-keit zu sein—Herr-li-ches Land der Ruh'; Dort wo der Strom des

dann geweiht, Wenn ich nach ü-ber-standnem Streit, Ge-nie-ße Tei-ne Se-lig-keit —
Le-bens fließt Und wah-re Ruh' die Seel' ge-nießt, Das Yer-len-thor sich nimmer schließt.

Chor.

Herrlich Land der Ruh'. }
Herrlich Land der Ruh'. } Herr-li-ches Land der Ruh' — Herr-li-ches Land der

Ruh'. Mein Herz mit Sehnsucht war-tet Dein, O herr-lich' Land der Ruh'.

3. Gar schnell das Erdenglück verfleucht, —
   Herrliches Land der Ruh';
   Wie Nebel, den der Wind verscheucht —
   Herrliches Land der Ruh';
   Doch dort an jenem goldnen Strand
   Steht Jesus—reicht mir selbst die Hand
   Und führt mich in's verheißne Land,
   Herrliches Land der Ruh'

4. Wer möchte hier für immer sein,
   Herrliches Land der Ruh'!
   Ich nicht—drum fort zur Heimath mein
   Herrliches Land der Ruh';
   O möcht' ich leben so allhier,
   Daß ich Dich einst Du ew'ge Zier,
   Im Frieden schaue für und für —
   Herrliches Land der Ruh'.

160

Wie Schiff auf dem Meere.

1. Wie Schiff auf dem Mee - re, wie Wol - ken so frei, So

ei - len die Jah - re des Le - bens vor - bei; Wer weiß, ob auf

Er - den noch lan - ge ihr weilt, O Kin - der noch heu - te zum

Hei - lan - de eilt, O Kin - der noch heu - te zum Hei - lan - de eilt.

2. Wie schön sind die Blumen in Früh-
    lingszeitpracht;
Doch tödtet sie schnell oft der Frost einer
    Nacht.
Wie Blumen verwelkt ihr, ach, seid ihr
    bereit?
:,: O, eilet zum Heiland, jetzt habt ihr
    noch Zeit. :,:

3. Die seligsten Freuden, den Frieden, die
    Lust,
Die findet man nur an des Heilandes
    Brust;
Da kann man im Tode selbst jubeln
    noch froh:
:,: „Ich gehe zu Jesu!" Wie leicht
    stirbt's sich so! :,:

Führe mich!

1. Nimm, Je - fu, mei - ne Hän - de Und füh - re mich
Bis an mein se - lig En - de Und e - wig - lich!

Ich kann al - lein nicht ge - hen, Nicht Ei - nen Schritt; Wo

Du wirst geh'n und ste - hen, Da nimm mich mit!

2. In Deine Gnade hülle
Mein armes Herz
Und mach' es endlich stille
In Freud' und Schmerz;
Laß ruh'n zu Deinen Füßen
Mich, schwaches Kind,
Ich will mich an Dich schließen,
Weil ich so blind.

3. Wenn ich dann auch nichts fühle
Von Deiner Macht,
Bringst Du mich doch zum Ziele
Auch durch die Nacht;
So nimm denn meine Hände
Und führe mich
Bis an mein selig Ende
Und ewiglich!

Für die Kleinsten.

1. Lie - ber, treu - er Gott im Him - mel, O wie gut, wie gut bist du!
2. O wie bin ich froh und mun - ter, Neu-es Le - ben ist in mir!

Gabst mir wie - der sü-ßen Schlummer, Stärktest mich mit sü - ßer Ruh.
Herz - lich dank' ich, treu - er Va - ter, In-nig, in - nig dank ich dir.

Schau' auf unsre Schul' hernieder.

1. Schau' auf uns-re Schul' her-nie-der, Auf-er-stand-ner Sie-ges-
2. Möch-ten gleich dem Kin-der-hau-fen, Der Dich pries im Tem-pel

held! Dir er-tö-nen uns-re Lie-der, Dir, dem kind-lich Lob ge-
dort, Auch Dich prei-sen, zu Dir lau-fen, Von Dir hö-ren sel'-ges

fällt. Dir er-tö-nen uns-re Lie-der, Dir, dem kindlich Lob ge-fällt.
Wort. Auch Dich preisen, zu Dir lau-fen, Von Dir hö-ren sel'-ges Wort.

3. Laß uns Deine Lämmlein werden,   4. O Du Hirte, führ' und weide
   Sanft, gehorsam, voll Geduld,   Deine schwachen Kindlein hier,
   :,: Wie Du warst für uns auf Erden   :,: Bring' uns auch zur Himmelsfreude,
   Einst ein Osterlamm voll Huld. :,:   Daß wir ewig danken Dir! :,:

Für die Kleinsten.
Liebe und Dank.

1. Uns ist wohl, herr-lich wohl; Weil der El-tern Herz uns liebt,
2. Lieb' ist süß, herr-lich süß. Wer uns Lie-be ge-ben kann,

Weil des Leh-rers Herz uns liebt, Ist uns wohl, herr-lich wohl.
O, den seh'n wir dank-bar an. Lieb' ist süß, herr-lich süß.

Am krystallnen Meer.

1.
{ Dor-ten am Kry-stall-nen Meer, Hal-le-lu-jah,
{ Ju-bi-lirt das sel'-ge Heer, Hal-le-lu-jah,

A - men! }
A - men! }
{ Da ist Ru-he nach dem Streit,
{ Freu-de nach dem Er-ben-leid,

Frieb' in al-le E-wig-keit, Hal-le-lu-jah, A-men!

2. Dorten jauchzt und freut man sich,
Lobt und liebt Gott ewiglich,
Jesus, den dort Alles preis't,
Sendet Seinen heilgen Geist,
Der uns stets zum Himmel weist.
Hallelujah, Amen!

3. Ich stimm' auch ein Loblied an,
Und erzähl', was Gott gethan,
Heil sei Dir, o Gottes Sohn!
Sing' ich hier auf Erden schon
Und dereinst vor Deinem Thron,
Hallelujah, Amen!

Für die Kleinsten.

Mäßig.   Sing' und bete.

1. Glöcklein klingt, Vög-lein singt, Wie ein je-des kann und weiß.
2. Bet' und sing'! Gu-tes Ding liebst du nim-mer-mehr zu oft.

Kind, auch du, sing' da-zu Dei-nes lie-ben Schö-pfers Preis.
Schen-ket doch Gott dir noch Täg-lich mehr als du ge-hofft.

14

Das fromme Kind.

Worte von J. A. Reitz.

1. Wie glücklich ist das gu-te Kind, Das sei-nen Hei-land liebt! Denn wenn sein jun-ges Le-ben auch Von Lei-den wird be-trübt, So hat's doch ei-nen lie-ben Freund, So lie-ben Freund, Der's treu und red-lich mit uns meint.

Chor: So hat's doch einen lieben Freund, Der's treu und redlich mit uns meint, Der's treu und redlich mit uns meint.

2. Wie schön, wenn in der Jugendzeit,
Man diesem Freund sich weiht;
Der reichlich uns schon in der Zeit
Mit Segnungen erfreut. —
Chor: Und wenn dies Leben ist vollbracht,
Uns gar zu Himmelserben macht.

3. Ein Kind, das gerne beten thut,
Und seine Bibel liest,
Bringt unser lieber Vater einst
In's schöne Paradies.

Chor: Mit Engeln voller Lust und Freud,
Singt's dann in alle Ewigkeit.

4. D'rum, Kinder, schaut nach jenem
Stern,
Der dort so herrlich scheint.
Denn schöner sollt ihr leuchten einst
Im himmlischen Verein,
Chor: Wo jedes seine Harfe bringt,
Und damit Gottes Lob besingt.

Die Erwartung.

Worte von J. A. Reitz.

1. Ich er-war-te mei-nen Mei-ster, Der mir ru-fen wird, zu gehn

Zu der Herr-lich-keit des Va-ters, Zu den schö-nen Himmels-höh'n!

Chor.

Sie er-war - - - - - ten mich am Tho-re, Ru-fen

Sie er-war-ten, sie er-war-ten mich am Tho-re, Ru-fen

mich - - - zum Vater-haus. Theure, die - - - mit mir hie-

mich, sie ru-fen mich zum Vaterhaus. Theure, die mit, Theure, die mit mir hie-

nie - den, Ein-stens zo - - - - - gen ein und aus.

nie - den, Ein-stens zo - gen, ein-stens zo-gen ein und aus.

2. Manche Hügel mußt' ich klimmen,
Manche rauhe Pfade gehn,
Manche Last hab' ich getragen,
Manchen schweren Sturm gesehn.
[Chor.

3. Mancher liebe Reis'gefährte
Ruhet schon im ew'gen Glück.
Und ich kämpfe noch hienieden,
Blieb noch in der Welt zurück.
[Chor.

4. Schneller war ihr Sieg gewonnen,
Bälder ihre Reis' zu End',

O wie werden sie sich freuen,
Wenn auch ich den Lauf vollend't.
[Chor.

5. Bald wird meine Lebensbarke
Auch im Friedenshafen sein;
Dann werd' ich mit allen Frommen
Ewig mich in Gott erfreun. [Chor.

6. Doch ich will geduldig warten,
Gottes Absicht ist ja gut:
„Komm und hol' mich bald zu dir, Herr,
Wo mein Herz auf ewig ruht."
[Chor.

Laß mich nicht allein!

Worte von G. Weiler.

1. Je = sus, Hei = land, hör' mein Flehn, Ma = che selbst mein Her = ze
2. Ein = sam in dem frem = ben Land— Oh = ne dich, was würd' ich

1. rein. Wollst, o wollst es nicht verschmäh'n, Laß mich nicht al = lein!
2. sein? Leit' mich stets an dei = ner Hand, Laß mich nicht al = lein!

3. Das Verlorne suchest du—
   Willst von Sündennacht befrei'n.
   Schenkst dem müden Herzen Ruh—
   Laß mich nicht allein!

4. Deine Liebe mich durchglüh,
   Möchte dir mein Alles weih'n.
   Dir nur folgen spät und früh,
   Laß mich nicht allein!

5. Wenn die Todesschatten nah'n,
   Wollst auch du mir nahe sein;
   Führ mich sicher himmelan,
   Laß mich nicht allein!

6. Nicht allein, bis ich dich seh
   Dort im gold'nen Glorienschein.
   Bis vor deinem Thron ich steh,
   Heil! auf ewig dein.

Der Liebe Sieg.

Von P. A. Mölling.

Mel. Laß mich nicht allein!

1. Jesus, deiner Liebe Sieg
   Gieße mir in Herz und Sinn;
   Dann hört alles Wanken auf,
   Wenn ich ganz dein bin.

2. Zünde deines Geistes Licht
   Jetzt in meinem Herzen an,
   Sind die Schlacken erst verzehrt,
   Ist dies Werk gethan.

3. Daß es jetzt vom Himmel fiel'
   Und mich machte hell und rein!
   O, du heil'ger Gnaden=Geist,
   Komm in's Herz hinein!

4. Herzens=Läuterungs=Feuer komm'!
   Meiner Seele Wonneschein!
   Stärke du mein ganzes Ich,
   Heil'ge mich als — dein!

Das herrliche Land.

Worte von J. Krehbiel.

2. O himmlisches Land, der Sel'gen
Freud!
Es kann dich niemals treffen ein
Leid;
Die Herrlichkeit Gottes ist dein Glanz,
Vertreibet die Nacht, das Dunkel ganz.
[Chor.

3. Dort finde ich auch die heil'ge Stadt,
Die Jesum Christ zur Sonne hat.

Die Straßen von Gold, das Perlenthor,
Und schaue zum Lebensbaum empor.
[Chor.

4. Die selige Schaar, gekleid't so schön,
Auf Himmelsau'n gar fröhlich geh'n;
„Dem Lamme sei Heil, Lob, Ehr und
Preis!"
So singet die selige Schaar in Weiß.
[Chor.

Ich will den Herrn loben.

Lebhaft.

1. { Wie ist doch oh - ne Maß und Ziel, Maß und Ziel, Wie
   { Drum dank ich dir mit Psal - ter - spiel, Psal - ter - spiel, Drum

ist doch oh - ne Maß und Ziel, Maß und Ziel, Wie ist doch oh - ne Maß und
dank' ich dir mit Psalter-spiel, Psalter-spiel, Drum dank' ich dir mit Psalter-

Chor.

Ziel, Herr dei - ne Güt' und Treu'! } Lo - bet Gott, froh-
spiel, Und Har-fenklang auf's Neu'. { Lo - bet Gott, ja frohlockt! Lo-bet

lockt! Denn er hilft aus al - ter
Ihn, den treu - en Gott, Denn er hilft aus al - ler Noth, Sei es

Noth, al - ter Noth, Lo - bet Gott, froh-
Trüb - sal o - der Tod, Lo - bet Gott, lo - bet Gott, Ja, froh-

lockt!
lo - cket un-serm Gott, Seib ge - treu bis in den Tod.
Seib ge - treu bis in den Tod—in den Tod.

2. :,: Du wohnst in deinem Israel :,:
Ja unter Lobgesang,
:,: Drum singe dir auch meine Seel' :,:
Aus Herzens-Lust und Drang.
[Chor.

3. :,: Rühr' du mit deines Feuers Glut :,:
Mir Herz und Lippen an,
:,: Damit, was deine Liebe thut, :,:
Ich fröhlich loben kann.
[Chor.

4. :,: Halt' mir auch Herz und Mund ge-
stimmt :,:
Beständig auf dein Lob,
:,: Und wer mein Lied und Lob ver-
nimmt, :,:
Der freue sich darob; [Chor.

5. :,: Der liebe dich und lobe dich :,:
Und habe frohen Muth,
:,: Genieße und erprobe dich, :,:
Du allerhöchstes Gut! [Chor.

Gottes Gebote sind nicht schwer.

Mel. Ich will den Herrn loben.

1. :,: Am Ende ist's doch gar nicht
schwer, :,:
Ein sel'ger Mensch zu sein;
:,: Man gibt sich ganz dem Herren
her, :,:
Und hängt an ihm allein. [Chor.

2. :,: Man ist nicht Herr, man ist nicht
Knecht, :,:
Man ist ein fröhlich Kind,
:,: Und wird stets sel'ger, wie man recht :,:
Den Herren lieb gewinnt. [Chor.

3. :,: Man wirkt in stiller Thätigkeit :,:
Und handelt ungesucht,

:,: Gleich wie ein Baum zu seiner
Zeit :,:
Von selbst bringt Blüth' und Frucht.
[Chor.

4. :,: Man fügt sich freudig immer fort :,:
In alles, was er fügt,
:,: Ist alle Zeit, an jedem Ort, :,:
Wo man ihn hat, vergnügt. [Chor.

5. :,: So selig ist ein gläub'ger Christ, :,:
So reich und sorgenleer,
:,: Und wenn man so nicht selig ist, :,:
So wird man's nimmermehr.
[Chor.

Mein Gott.

Mel. Ich will den Herrn loben.

1. :,: O Gott, mein Gott, so wie ich dich :,:
In deinem Worte find',
:,: So bist du recht ein Gott für mich :,:
Dein armes schwaches Kind. [Chor.

2. :,: Wie bin ich doch so herzlich froh, :,:
Daß du kein andrer bist,
:,: Und daß mein Herz dich täglich so :,:
Erkennt und auch genießt. [Chor.

3. :,: Ich bin voll Sünde, du voll
Gnad'; :,:
Ich arm, und du so reich;

:,: Ich rath- und hülflos, du hast Rath, :,:
Und Rath und That zugleich. [Chor.

4. :,: Ich seh' ringsum und überwärts, :,:
Da bist du fern und nah;
:,: Und lege still die Hand auf's Herz, :,:
Und fühl's, du bist auch da. [Chor.

5. :,: Drum ist mir's herzlich lieb und
werth, :,:
Daß du bist, der du bist,
:,: Und Alles, was mein Herz begehrt, :,:
Bei dir zu finden ist.

Das gefundene Heil.

Innig mit Gefühl.

p

1. Nun hab' ich Heil ge-fun-den In Dir, o Je-su Christ!

Und bin mit Dir ver-bun-den, Der Du mein Al-les bist.

Chor.

f

Ja, ich fühl' es, ich bin Dein Und Du bist auf e - wig mein!

decresc.

mf *p*

Eh - er will ich nun-mehr ster-ben, Als von Dir ge-schie-den sein.

2. Wie konnt' ich doch so lange,
O Jesu, Dir entflieh'n
Und widerstieh'n dem Drange,
Der mich zu Dir wollt' zieh'n! [Chor.

3. Wer kann die Lieb' ermessen?
O Jesu, welche Huld!
Vergeben und vergessen
Hast Du all meine Schuld! [Chor.

4. Wer will mich noch verdammen?
Ich fürchte kein Gericht!
Dein theures Blut und Namen,
O Jesu, für mich spricht! [Chor.

5. Kein Teufel, Tod und Hölle,
Kein Feind mich mehr erschreckt!
O Jesu, meine Seele
Ist an Dein Herz gelegt! [Chor.

6. Dich laß ich nunmehr walten,
Dir übergeb' ich mich!
Du wirst mich feste halten,
O Jesu, ewiglich. [Chor.

Chor. Ja, ich fühl' es, ich bin Dein
Und Du bist auf ewig mein.
Gerne will ich nunmehr sterben,
Um bei Dir dann ganz zu sein.

Erinnerung an den Charfreitag.
Mel. Das gefundene Heil.

1. Selbst eine Dornenkrone
Trug heut' der Herr für dich!
O, Sünder, falle nieder,
Und weine bitterlich! [Chor.

2. Er hat den Schmerz erduldet,
Die Angst, die große Pein!
Für das, was du verschuldet,
Für dich, o Mensch, allein. [Chor.

3. O, Sünder, falle nieder!
Bekenne deine Schuld!
Der Herr nimmt an dich wieder,
Mit Langmuth und Geduld! [Chor.

4. Er hat sein Blut vergossen,
Dich zu erretten, ja!
Für dich ist es geflossen
Dereinst auf Golgatha! [Chor.

5. Such Trost in seinen Wunden!
Kommst dann du vor's Gericht,
Dereinst, nach diesen Stunden,
Dein Heiland läßt dich nicht! [Chor.

Morgenandacht.
Mel. Das gefundene Heil.

1. Allvater, der im Kranze
Der Sterne huldvoll thront,
Dich preist im Morgenglanze,
Was froh die Welt bewohnt. [Chor.

2. Dich, dessen ew'gem Leben
Licht, Kraft und Heil entquillt,
Soll auch mein Herz erheben,
Mit deinem Geist erfüllt. [Chor.

3. Getreu dem Christenbunde
Will immerdar ich sein,
Und jede Lebensstunde
Der Pflichterfüllung weihn. [Chor.

4. Verleihe Kraft und Segen
Zum Recht- und Wohlthun mir,
Und leit' auf guten Wegen
Mich heut' und für und für. [Chor.

5. Laß strahlen deine Sonne
Nach deinem weisen Rath
Den Menschen allen — Wonne
Auf ihren Erdenpfad. [Chor.

Lob Gottes im Sommer.
Mel. Das gefundene Heil.

1. O danket ihm mit Singen,
Und wechselt Chor um Chor;
Laßt eure Harfen klingen,
Und bringt sein Lob empor! [Chor.

2. Er läßt die Wolken werden,
Und hüllt den Himmel ein,
Gibt Regen gnug auf Erden,
Und sendet Sonnenschein. [Chor.

3. Komm, Gottes Volk, und preise
Den Schöpfer froh darob!
Komm kindlich, und erweise
Dem Herrn dein schuldig Lob! [Chor.

15

Brüderliche Gemeinschaft.

1. Wie lieblich ist's hie-nie-den, Wenn Brüder treu ge-sinnt In Eintracht und in Frie-den Ver-
2. Wie Thau vom Hermon nieder Auf Got-tes Berge fließt; Al-so auch auf die Brü-der Der

traut bei-sam-men sind, In Eintracht und in Frie-ben Vertraut bei-sam-men sind.
Se-gen sich er-gießt. Al-so auch auf die Brü-der Der Se-gen sich er-gießt.

3. Und einstens wird erneuet
   Durch sie die heil'ge Stadt;
   :,: Was Knecht ist, wird befreit,
   Und rein, was Flecken hat. :,:

4. Und alles Volk der Erde
   Geht nun zum Lichte ein;
   :,: Dann wird nur Eine Heerde
   Und nur Ein Hirte sein. :,:

Preis des Heilandes.

Mel. Brüderliche Gemeinschaft.

1. Ich will dich erheben
   Mit Herz und mit Mund,
   :,: Dich, o mein Heil und Leben,
   Herr meiner Hoffnung Grund. :,

2. Denn du hast mich Armen
   Mit mächtiger Hand
   :,: Gerettet voll Erbarmen
   Von des Verderbens Rand. :,:

3. Nun bin ich so fröhlich,
   Von Sündenschuld los,
   :,: So unaussprechlich selig
   In deinem Liebesschooß. :,:

4. O wüßten's doch Alle,
   Wie freundlich du bist,
   :,: Und folgten deinem Schalle,
   Du süßer Jesus Christ! :,:

5. Send' aus deine Boten
   Nach Süd und nach Nord,
   :,: Und wecke selbst die Todten
   Durch deiner Allmacht Wort: :,,

6. Daß bald auf der Erde,
   Zum Preis deiner Treu',
   :,: Nur eine sel'ge Heerde
   In deinen Hürden sei. :,:

173

Gebet.

1. Je-su, Gnaden-son-ne,
Brunnquell al-ler Won-ne,
Sü-ße Seer-len-zier,
Nei-ge dich zu mir!
Bli-cke voll Er-

barmen Auf dein Kind herab,
Trö-ste selbst mich Armen, Sei mein Schild und Stab!

2. Tilg all meine Sünde,
Herr, in deinem Blut,
Laß dein Zorn verschwinde,
O mein höchstes Gut,
Laß mir deine Wunden,
Deiner Marter Schön'
:,: Alle Tag und Stunden
Vor den Augen stehn! :,:

3. Dir nur will ich leben
Und für dich nur sein,
Dir mich ganz ergeben
Und zum Opfer weihn.
Sprich dazu dein Amen,
O mein Fels und Hort!
:,: Preis sei deinem Namen
Ewig hier und dort! :,:

Einladung.

Mel. Gebet.

1. Kommt, o liebe Kinder,
Kommt zum Kreuz heran,
Seht den Freund der Sünder,
Seht den Schmerzensmann;
Seht, ach seht ihn hangen;
Seht an seinem Blut,
Was er vor Verlangen
Nach den Sündern thut.

2. Tretet nur recht nahe
Denn Er hat euch lieb;
So wie Er euch sahe,
Mit entbranntem Trieb,
Aus des Todes Stricken
Euch herauszuzieh'n,
Ach mit solchen Blicken,
So betrachtet ihn.

3. Gebt dem Lamm das Seine,
Seinen Schmerzenslohn!
Sagt ihm: Wir sind deine,
Heil'ger Gottessohn!
Deines Leidens Beute,
Dein erworbnes Gut
Ewiglich wie heute,
Durch dein theures Blut!

4. Also setzt euch nieder,
Bleibt auf Golgatha!
Singt ihm Freudenlieder,
Singt Halleluja!
Preiset seine Wunden,
Seinen bittern Tod,
Seine Marterstunden,
Seine Angst und Noth!

174

Das Friedenswort.

1. Ge-seg-net sei das Friedenswort, Es tö-ne durch die Län-der
fort Vom Auf-gang bis zum Nie-der-gang, Hell wie der
En-gel Lob-ge-sang, Eu-gel Lob-ge-sang.

2. Und wo der Streit die Völker trennt,
Im wilden Kampf die Selbstsucht brennt,
Da streu' es aus auf seinen Pfad
Nach rechts und links die Friedenssaat.

3. Es pflanze Leben in den Tod
Des Negers, dem die Fessel droht;

Der Götze werde weggerückt,
Dem sich der arme Hindu bückt.

4. Wo eine Seele seufzt nach Ruh',
Der weh' es stillen Frieden zu,
Bis um das ganze Erdenrund
Sich schlingt ein heil'ger Friedensbund.

Vertrauen.

Mel. Das Friedenswort.

1. Mein Vater, der im Himmel wohnt,
Als König aller Ehren thront,
Der ist mir nah' bei Tag und Nacht
Und gibt auf meine Schritte Acht.

2. Er nährt den Sperling auf dem Dach
Und macht zur Früh' die Vögel wach:
Er schmückt mit Blumen Wald und Flur
Und pflegt die Zierde der Natur.

3. Von meinem Haupte fällt kein Haar,
Mein Vater sieht es immerdar:

Und wo ich auch verborgen wär,
In Herz und Nieren schauet er.

4. Geschrieben stand in seiner Hand
Mein Name, eh' ich ihn gekannt;
An seinem Arm geh' ich umher,
Und er ist Gott: was will ich mehr?

5. O Vater mein, wie gut bist du!
Gib, daß ich niemals Böses thu'!
Mach' mich den lieben Engeln gleich
In deinem großen Himmelreich!

Herbstgedanken.

Sanft und gedehnt.

1. Schon fällt wie-der von den Zweigen Al-ler Blätterschmuck her - ab,
   Und ein namen - lo-ses Schweigen Deckt die Wälder wie ein Grab.

Wo, wo sind sie denn ge-blie-ben, Die hier sangen einst so schön? schön?

Winters Frost hat sie ver- bat sie ver-trieben Ueber Thal und Ber-ges-höh'n.

2. Sind die Sänger gleich verschwunden,
Singen sie doch anderswo;
Wo sie ew'gen Lenz gefunden,
Da, da sind sie nunmehr froh. —

So wird dir, mein Herz, auch schwinden
Deines Lebens Sommerzeit;
Wohl dir, wenn du dann wirst finden
Ew'gen Frühlings Seligkeit!

Des Sommers letzte Rose.

Mel. Herbstgedanken.

1. Des Sommers letzte Rose blüht
   Im Garten allein;
   Verwelkt sind die Gespielen
   Im Sommersonnenschein;
   Jede Knospe und Blüthe,
   Ach! Alles zerfällt.
   :,: Nun steht sie so verlassen,
   So allein in der Welt. :,:

2. Bald wird dich der Herbstwind
   Du Verlaßne! verweh'n;
   Wo sie schlummern, die Schwestern,
   Wirst auch du schlafen geh'n.
   Teine Blätter, sie fliegen
   Tahin in die Luft,
   :,: Und sie hauchen im Tode
   Noch lieblichen Duft. :,:

Bitte der Lehrer und Schüler.

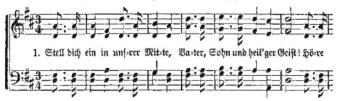

2. Wir sind hier in deinem Namen,
Dich zu ehr'n nach Kinder Art,
Zieh' in Liebe uns zusammen,
Und zeig' deine Gegenwart. [Chor.

3. Dank sei dir für deinen Segen,
Dank für deinen Sabbathtag,
Der uns kommt mit Heil entgegen,
Wer da will, es haben mag. [Chor.

4. Laß dein Wort an uns gedeihen,
Segne du den Unterricht,
Daß ein Jedes sich kann freuen
In Erfüllung seiner Pflicht. [Chor.

5. Bring uns friedlich hier zusammen
Jeden Sabbathtag mit Lust;
Zünde an stets neue Flammen
Reiner Lieb' in jeder Brust. [Chor.

Liebt einander.

Mel. Bitte der Lehrer und Schüler.

1. O, ihr Kinder, liebt einander,
So, wie Jesus uns geliebt,
Der für uns sich selbst gegeben,
Nie ein Kindlein Er betrübt.
[Chor.

2. O, ihr Kinder, liebt einander,
Das ist göttlich, schön und gut,

Gott ist unser aller Vater,
Und wir sind Ein Fleisch und Blut.
[Chor.

3. O, ihr Kinder, liebt einander,
Lieben, das ist Seligkeit,
Liebe deckt der Sünden Menge
Und versüßet alles Leid. [Chor.

Der Lebensquell.

1. Kennst du den Quell, der blu = tig fließt Von meines Je = su Herz?
2. Der Schächer in der letz = ten Stund Wusch sich in die = sem Quell,

1. Wenn der sich in die See = le gießt, Heilt er den Sün = den Schmerz.
2. Dort hab' auch ich, wie er so wund, Mein Kleid ge = waschen hell.

1. Heilt er der Sün = den Schmerz, heilt er der Sün = den Schmerz.
2. Mein Kleid ge = wa = schen hell, mein Kleid ge = wa = schen hell.

1. Wenn der sich in die See = le gießt, Heilt er der Sün = den Schmerz.
2. Dort hab' auch ich, wie er so wund, Mein Kleid ge = wa = schen hell.

3. O sterbend Lamm, dein kostbar Blut
Verliert nie seine Kraft.
:,: Es ist der Kirche größtes Gut,
Ihr Heil und Lebenssaft. :,:

4. Im Glauben schau ich still hinan
Zu dir am Kreuzesstamm.
:,: Was du verblutend mir gethan,
Das rühm' ich, Gottes-Lamm. :,:

Der Geist.
Mel. Der Lebensquell.

1. Zwar jung, doch lebt in mir ein Geist,
Der leben soll in Gott;
:,: Doch wenn die Welt ihn an sich reißt,
Stirbt er den ew'gen Tod. :,:

2. Schwingt er sich nicht auf zum Himmel sich,
Und geht zur Ruhe ein.

:,: So muß er selbst erröglich
In Finsterniß und Pein. :,:

3. O Gott, in Gnaden mein gedenk',
Sei ewig mir versöhnt,
:,: Vergebung, Heil und Leben schenk'
Mir, deinem armen Kind. :,:

Glaube nur.

Worte von C. F. Paulus.

1. O, fürchte dich nicht, meine Seel, Führt dein Weg auch durch's finste - re
2. Fühlst du dich al-lein in der Welt, Ist dein Her - ze von Freuden auch

That, Scheint verschwunden der See-lig-keit Quell Und der
leer; Sei ge - trost, denn es le - bet der Held, Ja, es

Glau-be nur,

Chor.

Gnade er-quickender Strahl. Glaube nur, glaube
lebt dein Er-lö-ser und Herr. Glaube nur,

Glaube nur,

nur, Der Hel-fer ist nah! Glaube nur! Glaube
Glaube nur! Der Hel-fer ist nah! Glaube nur!

Glau-be nur!

nur! Glaube nur, glaube nur! Der Hel-fer ist nah! Glaube nur!
Glaube nur, glaube nur! Der Hel-fer ist nah! Glaube nur!

3. Macht Satan dem Herzen auch bang,
Sind der Fehler und Schulden auch
viel;
Nur getrost! denn der Kampf währt
nicht lang,
Und die Gnad führt uns sicher zum
Ziel. [Chor.

4. Gelobt sei der Herr, unser Gott!
Er verläßet die Seinen ja nie;
Sind wir gleich jetzt der Welt noch ein
Spott,
Mit dem Herrn ist der Himmel schon
hie. [Chor.

Im Vorhof.

1. Im Vor-hof mei-nes Herrn Bin ich, wie Da-vid gern! Ja,
2. Die gan-ze Kin-der-schaar Kommt ger-ne im-mer-dar, Ver-

ei-ne Stun-de hier verbracht, Macht, daß mein Her-ze lacht! Wie
sammelt sich an die-sem Ort Und hö-ret Gottes Wort. Wie

freu' ich mich so sehr, Wenn ich von Je-su hör', Wie Er so gern bei
ist es dann so schön, Wenn unsre Leh-rer seh'n, Daß ih-re Ar-beit

Kin-dern weilt Und ih-re Her-zen heilt Und ih-re Herzen heilt!
Früch-te bringt, Ihr Werk an uns ge-lingt! Ihr Werk an uns ge-lingt!

3. Wie manches arme Kind
Kam der ganz arm und blind,
War lahm und stumm, ja geistlich todt,
Ach, da that Hülfe Noth!
Doch seht das Wunder an,
Was doch die Gnade kann:
Jetzt lebt's, hört, sieht und hüpft und [preist
:,: Mit uns in Einem Geist! :,:

4. Drum sind wir auch so gern
Im Vorhof unsres Herrn,
In unsrer Sonntagschule hier
Und kommen für und für.
Und ruft der Herr uns ab,
Trägt man den Leib zu Grab,
So eilt der Geist dem Heiland zu,
:,: Zur ew'gen Sabbathruh'! :,:

Der Abendstern.

ALLEGRETTO.

Duett. Sanft und langsam.   Worte von J. A. Leis.

1. Herrlicher Stern, wenn Nacht einbricht, Leuchtet uns dein Silberlicht, Allen leuchtet es

nah und fern, Lieb-li-cher hol-der Abend-stern, Lieb-li-cher hol-der Abend-stern.

Chor.

Herr - li - cher Stern, ... Herr - li - cher Stern, . . .

Herr - li - cher Stern,   Herr - li - cher Stern.

Gül - be - nes Stern - - - lein, lieb - li - cher freundli - cher Stern.

Gül - be - nes Stern - lein, Stern - lein.

2. Däucht es mir doch, du rufst uns zu:
Auf der Erd' ist keine Ruh';
Blick empor zu dem Himmelszelt,
:,: Schaue hinauf zur bessern Welt. :,:
[Chor.

3. Drum leuchte fort, du holder Stern,
Dein Erscheinen sehn wir gern;
Wie dein Licht ist—so sanft und rein,
:,: Möge auch unser Wandel sein. :,:
[Chor.

Die frommen Sänger.

Etwas lebhaft.

1. Da bin ich gern, wo from-me Sän-ger wei-len, Und from-mer

Sang im Chor erklingt; Die fro-hen Stunden rasch vor-ü-ber

Duett.

Instrument.

ei-len, Und je-de neu-e Freude bringt. Beim frommen Sang da fühlt sich

froh bewegt das Herz, Bei Liederklang Schon halb ge-heilt ist je-der Schmerz.

Chor.

D'rum bin ich gern, wo from-me Sänger wei-len, Und frommer Sang im Chor er-klingt.

2. Da bin ich gern, wo frommer Muth
   die Plage
Verscheucht und Himmelsfreude bringt,
Wo leise nur im Liede tönt die Klage
Und unter'm Saitenspiel verklingt.
            [Duett und Chor.

3. Da bin ich gern, wo Freunde fromm
   und bieder
Zum Gruß sich drücken warm die Hand
Und wo beim Klange seelenvoller Lieder
Sich fester knüpft der Treue Band.
            [Duett und Chor.

In die Ernte!

Worte von F. Kinder.

1. Horch! Des Heilands Stimme fra-get: „Warum wollt ihr müßig stehn?"

Weiß ist's Feld, die Ern-te war-tet: „Wer will mit den Schnittern gehn?"

Laut und lan-ge ruft der Meister, Reich der Lohn für dich und mich,—

Wer will freu-dig ei-lend ru-fen: „Herr, hier bin ich, sen-de mich."

Chor.

Lo-bet Gott al-le Lan-de, Und den Sohn den er

fandte, Und den Geift   auf dem Thron. Ehr' fei Vater, Geift und Sohn!

2. Kannft du Meere nicht durchkreuzen,
Nicht in Heidenländer ziehn;
Hilf den Heiden, die dir näher,
Die vor deiner Thüre gehn. —
Kannft du Taufende nicht geben,
Leg das Wittwen-Scherflein ein,
Und die „große" kleine Gabe
Wird dem Herrn gefällig fein.
                              [Chor.

3. Kannft du nicht mit Engelzungen,
Nicht wie Paulus predigen;
Kannft du Jefu Lieb' anpreifen,
Die für uns am Kreuze hing.

Kannft du Sünder nicht auffchrecken
Mit Gerichts Pofaunenton,
Kannft du kleine Kinder führen
Zu des Heilands Gnadenthron. [Chor.

4. Sage nicht mit eitlem Munde:
„Für mich giebt es nichts zu thun,
Da der Brüder Seelen fterben
Und dein Meifter ruft dich nun.
Gehe freudig in die Ernte,
Seinem Werk nur weihe dich;
Da er rufet, fage eilend:
„Herr, hier bin ich, fende mich."—
                              [Chor.

Die edle Gabe.
Mel. In der Ernte.

1. Herr, dein Wort, die edle Gabe,
Diefen Schatz erhalte mir!
Denn ich zieh' es aller Habe
Und dem größten Reichthum für.
Wenn dein Wort nicht mehr follt'
                              gelten,
Worauf follt' der Glaube ruhn?

Mir ift's nicht um taufend Wellen,
Aber um dein Wort zu thun. [Chor.

2. :,: Hallelujah! Ja und Amen!
Herr, du wolleft auf mich fehn,
:,: Daß ich mög' in deinem Namen :,:
Feft bei deinem Worte ftehn. [Chor.

Gottesftille, Sonntagsfrühe!
Mel. In der Ernte.

1. Gottesftille, Sonntagsfrühe,
Ruhe, die der Herr gebot!
Meine Seele, wach' und glühe
Mit im hellen Morgenroth!
Könnt' ich in dem Zimmer bleiben,
Wann das Volk zur Kirche wallt?
Könnt' ich Alltagswerke treiben,
Wann der Glockenruf erfchallt?
                              [Chor.

2. Wo die holden Worte weilen,
Die der Herr auf Erden fprach,
   —* auch das Brod mich theilen,
Er feinen Jüngern brach.

O! das nenn' ich fel'ge Stunde,
Wo man rein, o Herr! gedenkt;
Wo man mit der freben Munde
Von dem ew'gen Heil uns tränkt!
                              [Chor.

3. Neues Leben, neue Stärke,
Reiner Andacht frifche Gluth
Zu dem frommen Liebeswerke
Schöpf ich aus der Gnadenfluth.
Und von göttlichen Gedanken
Einen reichen Blüthenftrauß
Trag' ich heimwärts, Gott zu danken
In dem kleinen, ftillen Haus. [Chor.

Gedenkt des Sabbathtags.

1. O se - het doch wie heu - te Der gan - ze Him - mel
2. Welch fei - er - li - che Stil - le Herrscht heu - te ü - ber-

lacht; Denn die - sen Tag der Freu - de Hat uns der Herr ge-macht!
all, Wo Got - tes heil'- ger Wil - le Er - füllt dies Er - den - thal!

Chor.

Ge-denkt des Sabbaths, hei - ligt ihn Mit kind-lich frommem

Herz und Sinn! Heiligt ihn! Heiligt ihn mit kindlich frommem Sinn!

3. Welch wunderbarer Friede
   Weht heute durch die Flur!
   Wie ruhet da der Müde,
   Die arme Creatur. [Chor.

4. Wie zieht uns da so mächtig
   Der Geist des Herrn empor!
   Wie schallet da so prächtig
   Sein Wort zu unserm Ohr! [Chor.

5. Die Lebensströme fließen
   An diesem Tag so klar,
   Da dürfen wir genießen
   Den Segen wunderbar. [Chor.

6. Und ist schon hier auf Erden
   Der Sabbathtag so süß,
   Wie wird's erst droben werden
   Beim Herrn im Paradies! [Chor.

Lobt den Herrn.

1. Lobt den Herrn! Lobt den Herrn! Die Gna - - - ben-

sonne ge - - - het auf mit hel - - lem Schein, Und des

Him-mel - reiches Wonne Strömt — — mit ihrem Licht her-ein.

2. :,: Jauchzt dem Herrn :,:
Im Jubelpsalme,
Der die Sünder nicht verstieß!
Seht, des Ew'gen Lebens Palme
Blüht im neuen Paradies.

3. :,: Gottes Kind, :,:
Uns Gott zu weihen,
Wurdest du ein Menschenkind;
Kindlich dürfen dein sich freuen,
Die mit dir verbrüdert sind.

Morgenlied.

Mel. Lobt den Herrn.

1. :,: Lobt den Herrn! :,:
Die Morgensonne
Weckt die Flur aus ihrer Ruh,
Und der ganzen Schöpfung Wonne
Strömt verjüngt uns wieder zu.

2. :,: Lobt den Herrn! :,:
In frühen Düften

Lobet ihn der Blumen Flor;
Auf den Wipfeln, in den Lüften
Singet ihm der Vögel Chor.

3. :,: Lobt den Herrn! :,:
Aus seiner Höhle
Brüllt das Wild ihm seinen Dank;
Doch vor Allen, meine Seele,
Tön' ihm früh dein Lobgesang!

Die schöne Heimath auf Erden.

1. In der Hei-math ist es schön, Auf der Ber - ge lich-ten Höh'n, Auf dem fri-schen Wiesen - pfad, Auf der Flu-ren grü-ner Saat. In der Hei-math ist es schön, Wo die Heer-den wei-dend gehn, Wo die Heer - den wei - dend gehn, In der Hei-math ist es schön, In der Hei-math ist es schön.

2. In der Heimath ist es schön,
Wo die Lüfte sanfter web'n,
Wo des Baches Silberwell',
Murmelnd eilt von Stell zu Stell.
In der Heimath ist es schön,
:,: Wo der Eltern Häuser stehn, :,:
:,: In der Heimath ist es schön. :,:

3. In der Heimath ist es schön!
Nach der Heimath laßt uns gehn!
Dort, wo auf die grüne Au'
Niederträuft des Himmels Thau,
Aus den unerforschten Höh'n,
:,: In der Heimath ist es schön, :,:
:,: In der Heimath ist es schön. :,:

Schmerz und Trost beim Scheiden.
Mel. Die schöne Heimath auf Erden.

1. Wenn Geliebte von uns zieh'n
Ueber Meer und Länder hin,
Wenn ihr letzter Gruß und Sang
In der Ferne still verklang,
:,: Fragt das Herz in bangem Schmerz,:,:
Ob ich sie auch wieder seh'?
:,: Scheiden, ach [: Scheiden :] thut
weh! :,:

2. Wenn Geliebte von uns zieh'n,
Durch des Todes Schatten hin,
Ach! wenn sich zuletzt ihr Geist
Unerbittlich von uns reißt,

:,: Fragt das Herz in bangem Schmerz. :,:
Ob ich sie auch wiederseh'?
:,: Scheiden, ach [: Scheiden :] thut
weh! :,:

3. Armes Herz, was klagest du?
O, auch du gehst einst zur Ruh'!
Was auf Erden, muß vergeh'n,
Droben gibt's ein Wiederseh'n!
:,: Drum mein Herz, ring' himmel-
wärts.
Dort in jener sel'gen Höh',
:,: Thut dir kein [:Scheiden:] mehr weh!:,

Die armen Heidenkinder.
Mel. Die schöne Heimath auf Erden.

1. Ferne überm tiefen Meer
Noch viel arme Kinder sind;
Nacht und dunkel um sie her,
Niemand ihnen noch verkünd't
Von dem Heiland Jesus Christ,
:,: Von dem Heiland Jesus Christ, :,:
:,: Der für uns gestorben ist. :,:

2. Dort gibt's keinen Tag des Herrn
Und kein frohes Lied ertönt,
Keine Stimme, nah' und fern,

Die da zeugt: Gott sei versöhnt.
In der Blindheit irren sie,
:,: In der Blindheit irren sie, :,:
:,: Und zum Licht sie kommen nie. :,:

3. Kind, drum bete doch zu Gott;
Für die Heiden in der Fern',
Daß Er sich doch ihrer Noth
Mög' erbarmen—Bitt' den Herrn
Daß sie doch an seinem Heil
:,: Daß sie doch an seinem Heil :,:
:,: Auch noch mögen nehmen Theil. :,:

Für die Kleinsten.

1. *Mäßig bewegt.*

mf 1. O heil'ges Kind, wir grüßen dich mit Harfenklang und Lobgesang, mit Harfenklang und Lobgesang.
2. O heil dem Haus, in das du kehrst; es wird beglückt und hochentzückt, es wird beglückt und hochentzückt.

2. *Munter.*

Gü - tig, gü - tig, gü - tig ist Gott. Las - set uns sin - gen,

las - set uns sin - gen: gü - tig, gü - tig, gü - tig ist Gott.

16

Kommt zur Schule!

1. Du theu-re Schu-le, köst-lich mir, Wo im-mer ich mag
Chor: Kommt, kommt zur Schul'! Kommt, kommt zur Schul'! Kommt, kommt zur Sonn-tage-

sein! Es wan-dert oft mein Herz zu dir Und denkt in Lie-be dein.
schul'! Kommt, kommt zur Schul'! Kommt, kommt zur Schul'! Kommt, kommt zur Sonntagsschul'!

2. Hier hört' ich ja die frohe Kund',
Die einst die Engelschaar,
Bei Bethlehem in nächt'ger Stund'
Den Hirten brachten dar. [Chor.

3. An diesem Ort empfand ich schon
Der Buße Schmerzen früh;

Da wird man mich zum Gnadenthron:
Ach, dich vergaß ich nie! [Chor.

4. Und folgt einst auf des Todes Nacht
Der Sabbath ewig schön,
Schall ihm, der selig uns gemacht,
Ein beſſres Lobgetön'. [Chor.

Unsere Lust.

Mel. Kommt zur Schule!

1. Die Sonntagsschul' ist unsre Lust,
Und wird es mehr und mehr,
Da lauschen wir mit froher Bruſt
Der theuren Bibel Lehr'. [Chor.

2. Wir danken, liebe Lehrer, euch
Für eure Sorg' und Müh'!
Ihr führt uns zu dem Himmelreich
In unsrer Jugend früh. [Chor.

3. Und ziehn wir aus dem Vaterhaus
Einst in die Welt hinaus,
So führ' uns euer treuer Rath
Stets auf dem Lebenspfad. [Chor.

4. Wir hören eure Stimme gern
Und folgen unserm Herrn.
Wie wird's erst in dem Himmel sein!
O Herr, dring uns hinein. [Chor.

Die jungen Streiter.

Lebhaft.

1. Stimmt das Kriegslied an, Kämpfet wie ein Mann, Hebt die Fahn empor

für den Herrn. Legt den Har-nisch an, Steh fest Je-der-mann,

Chor.

Traut ge-trost auf sein Ver-hei-ßungs-wort. Auf denn! Streiter!

Schaart euch um die Fah-ne! Ste-het fe-ste, Mer-ket auf das Wort!

Vorwärts, Vorwärts, jauchzet Ho-si-an-na! Jesus führet uns zum Siege fort!

2. Hebt die Fahn' empor,
   Rücket muthig vor,
   Kämpfet tapfer nur,
   In dem Krieg.
   Steh'n wir fest vereint.
   Schlagen wir den Feind,
   Denn von Gott erscheint die Kraft zum
       Sieg.   [Chor.

3. O, du treuer Gott,
   Hilf uns in der Noth,
   Wir empfehlen uns
   Deiner Gnad.
   Wenn der Kampf beend't,
   Werden wir gekrönt
   Eingehn in die große Königsstadt.
           [Chor.

Der schöne Himmel.

Solo für Sopran und Alt.

1. Zu dem Him-mel ist's wun-der-schön, O, wie
ger-ne möcht' ich dort sein, Wo statt Kampf, Schmerz und Hohn
Meiner war-tet die Kron', Wo ich darf meinen Hei-land seh'n.

Chor. Innig und ausdrucksvoll.

Wel-che Hoff-nung, so schön und süß, Zu
kom-men in's Pa-ra-dies! Mein Je-sus ist bert, Bereit ist der Ort Auch für mich, ja ganz ge-wiß!

2. In dem Himmel ist's wunderschön,
Dort giebt's nimmermehr Todes-Weh'n,
Alle Nacht ist vorbei;
Denn die Sonne scheint frei
Dort in jenen so sel'gen Höhn.

[Chor.

3. In dem Himmel ist's wunderschön,
Drum will ich nur um Eines fleh'n:
„O Herr mach' mich bereit,
In gewaschenem Kleid
Dort in Zion einst einzugeh'n!"

[Chor.

Laß nur die Woge toben.

2. Wenn auch in manchen Stürmen
Dein Lebensschifflein schwankt,
Dein Heiland wird dich schirmen,
:,: Wenn nur dein Glaub' nicht wankt. :,:

3. O traue ihm, dem Treuen,
Doch Alles, Alles zu,

So wird Er dich erfreuen
:,: Mit ew'ger, sel'ger Ruh! :,:

4. Er hilft ja gern den Armen
Im Leben, wie im Tod,
Und nimmt uns voll Erbarmen
:,: Aus aller Angst und Noth. :,:

Das schöne Fest.
Mel. Laß nur die Woge toben..

1. Du schönes Fest, dem Kinde
Des Ewigen geweiht,
Das eine Welt voll Sünde
:,: Von ihrer Schuld befreit. :,:

2. Du heilige, geweihte,
Du hochgepries'ne Nacht,

Die das gebenedeite,
:,: Geliebte Kind gebracht. :,:

3. Ich will dich froh begehen,
Wie ein beseligt Kind,
Dem alle seine Wünsche
:,: Herrlich erfüllet sind. :,:

Winterlied.

Sanft.

1. Wie ru-hest du so stil-le, In dei-ner wei-ßen Hül-le, Du

müt-ter-li-ches Land! Wo sind die Frühlingslie-der, Des Sommers bunt Ge-

fie-ber, Und dein be-blüm-tes Fest-ge-wand?

2. Du schlummerst nun entkleidet;
Kein Lamm und Schäflein weidet
Auf deinen An'n und Höh'n.
Der Vöglein Lied verstummet,
Und keine Biene summet;
Doch bist du auch im Schlummer schön.

3. Die Zweig' und Aestlein schimmern,
Und tausend Lichter flimmern,
Wohin das Auge blickt!
Wer hat dein Bett bereitet,
Die Decken dir gebreitet,
Und dich schön mit Reif geschmückt?

4. Der gute Vater droben
Hat dir dein Kleid geworben,
Er schläft und schlummert nicht.
So schlumm're denn in Frieden!
Der Vater weckt die Müden
Zu neuer Kraft und neuem Licht!

5. Bald in des Lenzes Wehen
Wirst du verjüngt erstehen
Zum Leben wunderbar!
Sein Odem schwebt hernieder;
Dann, Erde, stehst du wieder
Mit einem Blumenkranz im Haar.

Neujahrswunsch an die Eltern.

Fromm.

1. Mit frommen Wünschen grüß' ich ihn, Den ersten Tag im Jahr',

Und dan-fe Gott, der ihn verliehn, Der mein Er-hal-ter war.

2. Der meine Eltern leben ließ,
Und der auf ihrem Pfad
Der Freuden viele blühen hieß,
Um die ich kindlich bat.

3. Wohl mir, daß ihre Liebe mich
Zum Guten sanft erzieht,
Daß für mein wahres Wohlsein sich
Ihr zärtlich Herz bemüht.

4. O segne, segne sie dafür,
Du, der im Himmel wohnt!
Mit Glück und Freude sei von dir,
Gott, was sie thun, belohnt.

5. Erhalte sie, damit sie spät
Sich ihres Kindes freun!
Erhör', und laß' auch auch dies Gebet
Dir wohlgefällig sein!

Nach dem Unterricht.

Innig.

{ Al - les Gu - te kommt von dir; Seg-ne, Herr, die Leh - ren, }
{ Die durch dei - ne Gna - de wir In der Schu - le hö - ren. }

Seg - ne, Herr, an uns dein Wort, Daß wir thä-tig eh - ren,

Daß dein Reich sich im-mer-fort Mö - ge bei uns meh - ren.

Frühlingslied.

Munter.

1. Hin-aus, hin - aus zur bun-ten Flur, Hin-aus zum grü-nen Hain!

Wie schön, wie schön ist die Natur! Kommt, laßt uns fröhlich sein.

2. Das Vöglein in dem grünen Wald,
Es singt in froher Lust;
Drum schall' auch, daß es wiederhallt,
Ein Lied aus unsrer Brust.

3. Seht hier den schönen Kirschbaum
blühn,
Er blüht in voller Pracht,

Auch Feld und Wiese werden grün,
Seht, Alles, Alles, lacht.

4. Drum kommt hinaus zum grünen
Wald,
Kommt hin zur vollen Flur,
Und singet, daß es wiederhallt:
Wie schön ist die Natur!

Der Strom.

1. Ich weiß ei - nen Strom, tessen herr - li-che Fluth fließt wun-derbar

stil - le durch's Land, Doch strahlet und glänzt er wie feu - ri - ge Gluth,

Wem ist die-ses Was-ser be-kannt? O See-le, ich bit-te dich:

Komm! Und such' die-sen herr - li-chen Strom, Sein Was-ser fließt

frei und mäch - tig - lich, O glaub's, es flie-ßet für dich!

2. Wohin dieser Strom sich nur immer
 ergießt.
Da jubelt und jauchzet das Herz,
Das nunmehr den köstlichsten Segen
 genießt,
Erlöset von Sorgen und Schmerz.
[Chor.

3. Das Wasser des Lebens, das ist diese
 Fluth,
Durch Jesum ergießet sie sich.

Sein kostbares, theures und heiliges
 Blut,
O Sünder, vergoß Er für dich! [Chor.

4. Wen dürstet, der komme und trinke sich
 satt,
So rufet der Geist und die Braut,
Nur wer in dem Strome gewaschen sich
 hat,
Das Angesicht Gottes einst schaut.
[Chor.

Jesu, wir harren dein!

Worte von G. Weiler.

1. Hör' Je-su un-ser Flehn, Kehr seg-nend bei uns ein.
2. Wir war-ten auf dein Heil, Auf dei-ner Gna-de Licht.

1. Wollst un-ser Seuf-zen nicht ver-schmähn, Wir har-ren sehn-lichst dein.
2. O schenk uns un-ser Se-gens-theil, Versäum', versäum' uns nicht.

3. Laß uns zum Eigenthum
Dir völlig sein geweiht,
Und nur verkünden deinen Ruhm
In Zeit und Ewigkeit.

4. Tritt uns nun fühlbar nah,
Speis deiner Kinder Herz.
Du hörst uns schon; ja du bist da
Und ziehst uns heimathwärts.

17

Gedenke an deinen Schöpfer in deiner Jugend.

Worte von J. Krehbiel.

1. Geh' in des Le-bens-mor-gen, Geh' in der Jugendblüth', Wo

du noch frei von Sor - gen, Wo noch die Wan-ge glüht. Geh',

su - che Got - tes Gna - de, Geh', such dein See-len-heil, Be-

tret' des Le - bens - pfa - de, Er - wähl das gu - te Theil.

Geh' in des Le - bens - mor-gen, Geh' in der Ju-gend-blüth'.

Wiederholung sanft.

Wo du noch frei von Sor-gen, Wo noch die Wan-ge glüht.

2. Geh' jetzt, in deiner Jugend,
Geh' jetzt in deiner Kraft,
Und weihe dich der Tugend,
Eh' Alter dich erschlafft.

Nur eins kann dich beglücken:
Was immer dich beschwert,
Wird doch dein Herz erquicken,
Die Perl' von großem Werth.
Geh' — bis erschlafft.

Das Reich des Messias.

Mel. Gedenke an deinen Schöpfer in deiner Jugend.
Die vier ersten Zeilen jeden Verses zu wiederholen.

1. Heil, Heil dem größten Sohne
Des großen David's,—Heil!
Vom Herrn gesalbt zum Throne,
Ihm, dem Verheiß'nen, Heil!
Er nimmt sein Reich auf Erden,
Bricht Fesseln, tilgt die Schuld,
Läßt frei Gefangne werden,
Und herrscht mit heil'ger Huld.

2. Er kommt gleich Regengüssen
Auf's ausgedorrte Land;
Lieb', Freud' und Hoffnung sprießen
Gleich Blumen, wo er stand.
Der Fried', als Herold schreitet
Voran, sein Ruf gebeut;
In vollen Bächen gleitet
Ins Thal Gerechtigkeit.

3. Ihm beugt sein Knie mit Freuden
Arabiens Räuberschwarm;
Auf Aethiopiens Weiden
Preist man des Retters Arm.

Der Inseln Schiffe bringen
Des Weltmeer's Schätze dar.
Hört seinen Ruhm dort singen
Der Hindus braune Schaar!

4. Seht dort vor ihm sich neigen
Der Herrscher stolze Pracht!
Die Völker all' sich beugen
Vor seiner heil'gen Macht!
Wohin kein Aar sich schwinget,
Der Taube Flug nicht reicht,
Dahin Sein Walten bringet,
Dem keine Herrschaft gleicht.

5. Allsegnend, allgesegnet
Wächst ewig fort sein Ruhm;
Kein Feind einst mehr begegnet,—
All' sind sein Eigenthum.
Fest steht sein Bund,—und bliese
Nichts fest im Sturm der Zeit,
Uns heißt sein Nam': „die Liebe,"
Der bleibt in Ewigkeit!

Steht auf, steht auf zum Streite.

Mel. Gedenke an deinen Schöpfer in deiner Jugend.
Die vier ersten Zeilen jeden Verses zu wiederholen.

1. Steht auf, steht auf zum Streite,
Ihr Gotteskinder All'!
Wohlan, wohlan, noch heute
Folgt dem Posaunenschall!
Des Königs Fahnen wehen,
Nun geht's zum heil'gen Krieg;
Zu Jesu laßt uns stehen,
Er führt von Sieg zu Sieg!

2. Steht auf, steht auf zum Streite;
Des Feindes Macht ist groß;
Es stehet ihm zur Seite
Der Hölle finster Troß!

Doch fürchtet nicht sein Toben,
O fasset Glaubensmuth!
Zieht an die Macht von Oben,
Für euch floß Christi Blut!

3. Steht auf, steht auf zum Streite;
Hier ist Immanuel!
Jagt Satan in die Weite,
Errettet eure Seel'!
Dem Sieger winkt entgegen
Als sel'ger Gnadenlohn
Des Himmels Heil und Segen,
Des ew'gen Lebens Kron'!

Die liebste Stimme.

1. Die süß'ste Stimm', die liebste Stimm', Die je ein Mensch vernahm, O wie sie dem das Herz erfreut, Zu dem sie einmal kam, dem sie einmal kam. Mein Jesus sprach zu mir so mild, Rief mich an seine Seit', Ist auch dein Herz noch sündig, Kind, Ich bin's, der dich befreit, bin's, der dich befreit.

2. Sein Antlitz ist so wunderlieb,
Wie's je ein Mensch erschaut,
Und wer nur da hineingeblickt,
Der sich auch Ihm vertraut.
„Komm her zu mir," so redet es,
„In mir nur findst du Ruh,
Das Lösegeld hab' ich bezahlt,
Nun nimm's und glaube du!"

3. Die Heilandsliebe, mächtig, stark,
Wie macht sie doch so reich,
Wie ziehet sie mich himmelwärts,
Macht's harte Herz so weich.
Zu Füßen leg' ich freudig Ihm
Nun meine ganze Last.
Wie selig ist's, Herr Jesu, doch,
Wenn Du vergeben hast.

Das Scherflein der Wittwe.

Mel. Die liebste Stimme.

1. Leg nur getrost dein Kupferstück
Zum Silber und zum Gold,
In's Herze schaut des Heilands Blick
Und ist der Demuth hold!
Die Reichen gaben's mit Verdruß,
Du gibst's mit frohem Sinn,
Sie gaben ihren Ueberfluß,
Du deine Armuth hin.

2. Sie warfen kalt ihr kaltes Erz
In Gottes Opferschrein,
Du legst ein fromm und liebend Herz
Mit deinem Scherflein ein.
Und was man willig gab dem Herrn,
Da legt er Segen drauf,
Aus Wittwenscherflein baut er gern
Sich seine Tempel auf.

Osterlied.

Fröhlich.

1. Jauchzet Gott in al-len Landen! Jauchze, du er-lös-te Schaar!
Denn der Herr ist auf-er-stan-den, Der für uns ge-tötet war.

Jesus hat durch seine Macht Das Erlösungswerk vollbracht; Nun ist sei-nen

Reichs-ge-nossen Stets der Himmel auf-ge-schlos-sen.

2. Jesus, mein Erlöser, lebet!
Das ich nun gewißlich weiß;
Gebet, ihr Erlösten, gebet
Seinem Namen Dank und Preis.

3. Singet, singt: Hallelujah!
Rufet, ruft: Victoria!
Singt und ruft in allen Landen:
Heut' ist Christus auferstanden!

Schullied.

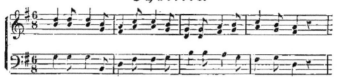

Lieb-lich ist die Morgen-stunde, Wenn man sie mit Gott be-ginnt.

Freud' im Herzen, Dank im Munde Zie - met einem Christenkind.

Das nach ei - ner sanf - ten Nacht In des Schöpfers treu - er Wacht

Ohne Gram und oh-ne Sorgen, Auf - ge-wacht zum hel - len Mor-gen.

2. Heut' auch will Er uns begleiten,
Auch zur Schule mit uns geh'n;
Will das Herz zur Weisheit leiten,
Und uns treu zur Seite steh'n,
Daß uns diesen ganzen Tag
Keine Sünde fällen mag,
Daß wir unter seinem Segen
Abends uns zur Ruhe legen.

3. O, wie wird durch seine Gnade
Alles Lernen süß und leicht,
Wenn Er auf dem Tugendpfade
Freundlich uns die Hände reicht!

O, wie selig ist ein Kind,
Das mit ihm den Tag beginnt,
Das Verstand, Gemüth und Triebe
Heiligt durch des Mittlers Liebe!

4. Komm denn, Herr des ew'gen Lebens,
Tritt in unsern Kreis herein,
Hilf, und laß uns nicht vergebens
Deines Wortes Schüler sein!
Nimm des treuen Lehrers wahr,
Segne deiner Kinder Schaar,
So wird Alles wohl gedeihen,
Und dein Herz sich unser freuen.

Für die Kleinsten.

Die fel'ge Nacht.

1. Ach fel'-ge Nacht, die uns gebracht Den lie-ben heil'-gen Christ, den

lie-ben heil'gen Christ. Wir freu'n uns heut in heil'ger Freud, Daß

Er ge - bo - ren ift, daß Er ge - bo - ren ift.

2. O kommt heran und betet an
Das Kindlein zart und hold;
Er ist es werth, daß ihr ihn ehrt
Mit Weihrauch, Myrrhen, Gold.

3. Da liegt Er klein im Krippelein,
Ein armer Menschensohn;

Und ist doch groß, des Vaters Schooß,
Das ist sein Ehrenthron.

4. O komm zu mir, mein Herz soll dir
Anstatt der Krippe sein;
Komm, Heiland, komm und mach mich fromm,
Ein Kind wie du so rein.

Einladung zu Jefu.

1. Kommt Kin - der zu Je - fu, Er la - det euch ein, Mit

al - len eu - ren Sün-den, Er wäscht euch al - le rein. Mit

al - len eu - ren Sün-den, Er wäscht euch al - le rein.

2. Er hat's euch versprochen
Im heiligen Wort,
:,: Was ihr habt verbrochen,
Er schickt euch nimmer fort. :,:

3. Drum kommt nur und eilet,
Er wartet auf euch,

:,: Er weiß ja, was euch fehlet?
Das hochzeitliche Kleid. :,:

4. O kommt doch, ihr Kinder,
Zu Jefu noch heut;
:,: Empfangt vom Freund der Sünder
Das schöne Hochzeitkleid. :,:

— 200 —

Unsere Heimath dort oben.

Worte von F. Knauft.

1. Horch! dein Heiland, der la-det dich ein, O zau-be-re län-ger doch

nicht, Du fühlst glück-lich dort o - ben zu sein Zu der

Chor.

Wohnung der Sel'gen im Licht. Ueberm Jor-dan ein Wohnplatz so

schön Hat Je-sus für dich aus-er-sehn,

Wo du ruhn darfst nach Kum-mer und Leid

203

sel' = ger Freud'.

In der Woh - - - nung sel'= ger Freud', sel'= ger Freud'.

2. Bist du durstig, so nahe dich schnell
Zum Brunnen der Gnade, der fließt
Aus dem Herzen des Heilandes hell,
Und erquickt den, der seiner genießt.
[Chor.

3. Bist du müde und sehnst dich nach Ruh,
Dein Heiland dir Zuflucht gewährt;

O, so komm doch und nah dich hinzu,
Er gibt mehr, als man von ihm begehrt.
[Chor.

4. Unverwelklich die Krone wird sein,
Die mein Heiland für mich beibehält,
Wenn im Blut ich gewaschen bin rein,
Und besieget die Lüste der Welt. [Chor.

Nur mit Jesu pilgern im neuen Jahre.

Freudig.

1. Nur mit Je=su will ich Pil-ger wan-dern; Nur mit ihm geh' froh ich ein und aus. Weg und Ziel find' ich bei kei-nem An-dern, Er al-lein bringt Heil in Herz und Haus. Er al-lein bringt Heil in Herz und Haus.

2. Berg und Thal und Feld und Wald
und Meere,
Froh durchwall' ich sie an seiner Hand.
Wenn der Herr nicht mein Begleiter wäre,
Fänd' ich nie das wahre Vaterland. :,:

3. Er ist Schutz, wenn ich mich niederlege,
Er mein Hort, wenn früh ich stehe auf.
Er mein Rather an dem Scheidewege,
Und mein Trost bei rauhem Pilgerlauf. :,:

4. Bei dem Herrn will stets ich Einkehr
halten,
Er sei Speis' und Trank und Freude mir.
Seine Gnade will ich lassen walten,
Ihm befehl' ich Leib und Seele hier. :,:

5. Bis es Abend wird für mich hienieden
Und er ruft zur ew'gen Heimath hin,
Bis mit ihm ich gehe ein zum Frieden,
Bis sein sel'ger Himmelsgast ich bin. :,:

Rundgesänge.

1. Für zwei Stimmen.

Horch! der Glockenklang ruft uns zum Gesang, ruft uns zum Gesang, zum Gesang.

Horch! der Glockenklang ruft uns zum Gesang, ruft uns zum Gesang, zum Gesang.

1. Für drei Stimmen.

Kräftig.

Das Leben nutzet wei-se, und wuchert mit der Zeit, und wuchert, und wuchert, und

wuchert mit der Zeit! dann wohnt in unserm Kreise die wahre Fröhlichkeit

die wahre Fröhlichkeit. Das Leben nutzet weise, und

wuchert mit der Zeit und wuchert mit der Zeit.

1. Für vier Stimmen.

Auf! ihr Kinder! auf und singt, bis es immer besser, immer bes-ser klingt!

2. Gu-te Nacht! bis der Tag erwacht. All ihr Sorgen, ruht bis morgen! euch

gu-te Nacht! Schlaf wohl und schließ die Au-gen zu, schlaf sanft und

süß, schlaf in gu-ter Ruh, gute Nacht! Träume süß bis neu der Tag erwacht!

Für die Kleinsten.

Musik überall. Worte von J. A. Reih.

1. Mu-fik auf dem Lan-de, Mufik in den Höh'n, Mufik in dem Wal-de, Mu-fik in den See'n; Mu-fik auf dem Ber-ge, Mufik in dem Thal; Mufik in dem Her-zen, Mufik ü-ber-all.

2. Mufik in der Heimath,
Mufik in dem Saal,
Mufik in der Schule,
Mufik für uns all;
Mufik in den Sorgen,
Mufik in Trübfal,
Mufik in der Freude,
Mufik überall.

3. Singt mit frohen Stimmen,
Freunde insgesammt,
Laßt das Herz mit Liebe
Freudig sein entflammt.
Dem Gesang der Schöpfung
Schließt euch freudig an,
Bis wir einstens singen
Dort vor Gottes Thron.

Gott weiß.

mo. Etwas langsam.

1. Weißt du, wie viel Sterne ste-hen An dem blau-en Himmels-zelt? Weißt du, wie viel Wolken ge-hen Weithin ü-ber al-le Welt? Gott der Herr hat sie ge-zäh-let, Daß ihm auch nicht Ei-nes feh-let An der großen, großen Zahl, an der gro-ßen, großen Zahl.

2. Weißt du, wie viel Mücklein spielen
In der heißen Sonnenglut?
Wie viel Fischlein auch sich kühlen
In der hellen Wafferfluth?
Gott der Herr rief sie mit Namen,
Daß sie all' in's Leben kamen,
:,: Daß sie nun so fröhlich sind. :,:

3. Weißt du, wie viel Kinder frühe
Steh'n aus ihren Bettlein auf,
Daß sie ohne Sorg und Mühe
Fröhlich sind im Tageslauf?
Gott im Himmel hat an allen
Seine Luft, sein Wohlgefallen,
:,: Kennt auch dich und hat dich lieb. :,:

Halleluja!

Hal-le-lu-ja, Hal-le-lu-ja, Hal-le-lu-ja!

Der Christbaum im Himmel.

1. Da dro-ben, da dro-ben muß Christtag es sein, Es leuch-ten und
2. Dort o-ben, dort o = = ben wohnt al = le Zeit Christkindchen in

1. flimmern die Lich = te = lein; Viel hun-dert und tau-send, ach mehr wohl
2. himmli = scher Herrlich = keit; Es hat wohl den En = gelu in dunk-ler

1. gar, Die glänzen am Himmel so hell und so klar. Viel hundert und
2. Nacht Ein Bäumchen mit flimmernden Lichtern gebracht. Es hat wohl den

1. tausend, ach mehr wohl gar, Die glänzend am Himmel so hell und so klar.
2. Engeln in dunk-ler Nacht Ein Bäumchen mit flimmernden Lichtern gebracht.

3. D'ran hängen der goldenen Sternlein
    so viel
Den freundlichen Engeln ein liebliches
    Spiel;
:,: Wie werden sich freuen die Engel
    heut   [Freud! :,:
Und jubeln und singen in seliger

4. Dort oben, dort oben möcht' gerne ich
    sein
Mich freu'n mit den heiligen Engelein,
:,: Und wandeln im hellen, im himmli-
    schen Saal
Und schauen die flimmernden Lichtlein
    zumal! :,:

Alle Tag' und Stund'.

Worte von A. Flammann.

Langsam.

1. Heiland, mehr als Alles mir, Halt mich nahe, nahe stets zu Dir;

Laß an Deiner blut'gen Seit' Herr, mich ruhen, ruhen alle Zeit.

Chor.

Alle Tag, Alle Stund, Thu' des Blutes Kraft uns
Alle Tag und Stund, alle Tag und Stund,

kund; Möcht mich Deine Liebe ziehn Immer näher, näher zu Dir hin.

2. Durch dies Pilgerleben hier
Deine treue, treue Hand mich führ;
Auf Dich schauend irr' ich nicht,
Wandle immer, immer in dem Licht.
[Chor.

3. Laß mich an Dir hängen treu,
Bis die kurze, kurze Zeit vorbei;
Bis ich droben ruhe aus,
In dem theuren, theuren Vaterhaus.
[Chor.

Mache dich auf!

Worte von C. F. Paulus.

1. Ma-che dich auf, o Zi-on, wer-de Licht! Schmücke dich herr-lich,
2. Bist du, o See-le, dürf-tig, arm und bloß, Fühlst du dich e-lend,

1. heb' das An-ge-sicht froh em-por und za-ge nicht: Je-sus, der Hei-land ist
2. ist die Noth auch groß; Flieh in deines Heilands Schooß; Er macht dich se-lig und

Chor.

1. da.
2. reich.
Heil uns! Chri-sti Blut macht von al-ler Sün-de rein,

Füh-ret zur Ru-he uns ein........Heil uns! Christi Blut macht von
zur Ru-he uns ein.

al-ler Sün-de rein. Füh-ret zur Ru-he uns ein.

3. Komm und verlasse, was du sonst so gelebt,
Fliehe die Sünde, die du einst grübt;
Denk, wie sehr sie ihn betrübt,
Der dich geliebt bis zum Tod.   [Chor.

4. Wandle im Glauben, wie dein Herr gebot,
Streu edlen Samen aus bis an den Tod,
Zweifle nie in Angst und Noth;
Alles vermag, wer da glaubt.   [Chor.

5. Zieh' denn, o Pilger, fröhlich deine Bahn,
   Die dir der Heiland selber geht voran,
   Er führt dich nach Canaan,
   Heim zu der ewigen Ruh'.   [Chor.

6. Zion, erhebe muthig dein Panier,
   Sieh' dein Erlöser, Christus, ist bei dir;
   Darum jauchze für und für:
   Lob, Preis und Dank sei dem Lamm!   [Chor.

Mein Geist, mein Leib und Seele.

Worte von H. v. Niebuhr.

1. Mein Geist, mein Leib und See = le Sei ü = ber = ge = ben dir
2. O Je = su, mächt'ger Hei = land, Dein Na = me ist mein Hort,

1. Als ein ge = weih = tes O = pfer, Dein ei = gen für und für.
2. Ich har = re Dei = nes Hei = les, Ich trau = e auf Dein Wort.

Chor.

Auf dem Al = ta = re lieg' ich Und war = te auf das Feu'r.

rit.

War = te, war = te, war = te, Ich war = te auf das Feu'r.

3. O laß mein Herz entbrennen
   In Deiner Flamme hier,
   Ich harre Deines Heiles,
   Dein Wort ist mein Panier.   [Chor.

4. Mit Deinem Blut gewaschen
   Dein bin ich, Jesu, Dein;
   Laß durch den Geist versiegelt
   Mich Gottes Opfer sein.   [Chor.

„Beinah' gewonnen!"

Worte von P. A. Mölling.

1. „Bei - nah' ge - won - nen!" Mitt - ler, Dein Schmerz, Bei - nah' ge -

won - nen — hat mich Dein Herz. Den - noch der Zwei - fel - geist

Gnad' mir vom Her-zen reißt; Liebt' ich Dich al - ler-meist, Wär' es mein Heil.

2. „Beinah' gewonnen" — noch ruft Dein Wort,
Beinah' gewonnen — harrst Du noch dort!
Jesus, mit sanfter Hand,
Engel am Himmels-Rand
Winken mir unverwandt:
„Sünder, kehr' um!"

3. „Beinah' gewonnen" — o wär' ich dein!
Beinah' gewonnen — Dein Kind zu sein!
Daß ich in Deinem Schooß,
Wär' alles Irrthums los,
Wie wär' die Freude groß,
Folgt' ich dem Ruf!

3. „Beinah' gewonnen" — Nacht sinkt herein,
Beinah' gewonnen — kaum noch ein Schein.
Zögernd beim letzten Strahl,
O welche Herzens-Qual,
Liebt' ich Dich allzumal
Fänd' ich die Ruh.

4. „Beinah' gewonnen" — jetzt sinkt das Licht,
Beinah' gewonnen — dort naht's Gericht!
„Beinah'" ist — nicht genug,
„Beinah'" ist — ew'ger Trug,
Jetzt tönt der Schreckensspruch:
„Sünder, zu spät!"

5. Ewig verloren — Gnade verscherzt,
Ewig verloren — o wie das schmerzt!
Hättest du's ernst gemeint,
Jesus, dem Sünderfreund,
Wärst du nun froh vereint,
Eh' es zu spät.

6. Freundlicher Heiland! — köstliches Blut,
Fließest dem armen Sünder zu gut!
Mittler, in großer Huld,
Tilge Dein Blut die Schuld,
Habe noch heut' Geduld,
Schenke sie mir!

Jesus starb für mich.

Gehoben.

Worte von E. Gebhardt.

1. Sagt an, ver = goß der Herr Sein Blut, Und
Schluß. D. C. Ja für uns Al = = le starb der Herr, Gott-

starb Er denn für mich? Neigt' Er Sein Haupt auch
lob Er starb für · mich!

mir zu gut, Für sol = chen Wurm, wie ich?

Chor.

Je = sus starb für dich, Je = sus starb für mich.

2. Ist's wahr, litt Er für meine Schuld
Den Fluch am Kreuzesstamm?
Ach, mit solch' wunderbarer Huld
Liebt mich dies Gotteslamm?

3. Wohl mocht' die Sonn' in Finsterniß
Verwandeln ihren Schein,
Als Jesus jenen Schrei ausstieß
In Seiner Todespein!

4. Vor Scham möcht' ich mein Angesicht
Verhüllen allezeit,
Und weinen, bis mein Auge bricht,
Voll heißer Dankbarkeit!

5. Doch löste dies nicht meinen Schmerz,
Zerflösse ich auch gar.
Herr, heilen kannst nur Du mein Herz,
D'rum bring' ich's Dir auch dar!

18

Der holde Schäfer.

2. Schaut, ein Lamm hat sich verlaufen,
Und Er eilt in schnellem Lauf,
Läßt den ganzen andern Haufen,
Suchet sein Verlornes auf.
Auf den Schultern heimgetragen,
Bringt es der getreue Hirt,
Keines darf nunmehr verzagen,
:,: Sei es noch so weit verirrt. :,:

3. Möchtet ihr auf dieser Erden
Fühlen solche treue Hut,
Müßt ihr Schäflein Christi werden,
Denen giebt Er selbst sein Blut.
Herr, mein Gott, auf Deine Weiden,
An Dein Brünnlein leite mich!
So durch Freuden, als durch Leiden
:,: Führe Du mich seliglich! :,:

Das Reis.

1. { Es   ist   ein   Reis   ent = sprun = gen   Aus ei = ner
   { Wie die   Pro = phe = ten sun = gen,   Von Jes = se

2. { Das Blüm = lein duf = tet sü = = ße   In sei = nem
   { Wie aus dem   Pa = ra = die = = se   Zu uns her =

Wur = zel   zart,   } Und hat ein Blümlein bracht' Wohl mit=ten
kam die   Art,   }

Glanz und Pracht,   } Und wel = che Wun = der = kraft Liegt gar in
ab = ge = bracht,—   }

1. in dem Win = ter   In ru = hig stil = ler   Nacht.
2. ihm ver = bor = gen; Es macht ge = sund sein   Saft!

3. Die Wurzel, die ich meine,
Das Blümlein vollends gar
In seinem Glanz und Scheine
Ist wahrlich wunderbar;
Aus unsrer Erde Schooß
Nach Gottes heil'gem Willen
Dies sein Gewächs entsproß.

4. Immanu(n)el heißt die Blüthe,
Die aufgegangen ist,
Ihr Wohlgeruch ist Friede,
Ja, es ist Jesus Christ!
Er ist das ein'ge Heil
Für alle armen Sünder,
Des Christen bestes Theil.

Er erlöst mich allezeit.

1. Er er = löst mich al = le = zeit, Er, der mich vom Fluch be = freit,

Er er = löst bei Tag und Nacht, Sein all = se = hend Au = ge wacht.

Er er = löst, wie wun = der = bar! Er er = löst mich im = mer = dar!

2. Er erlöst in Traurigkeit,
   Er erlöst in froher Zeit.
   Schwindet Hoffnung überall,
   Jesus ist mein Hoffnungsstrahl.
      Er erlöst, wie wunderbar!
      Er erlöst mich immerdar.

3. Er erlöst in jeder Noth,
   Er erlöst, wenn naht der Tod;
   Er erlöst und führt mich hin,
   Wo ich ewig bei Ihm bin.
      Er erlöst, wie wunderbar!
      Er erlöst mich immerdar.

4. Er erlöst mich, Er ist mein,
   Er erlöst mich, ich bin sein;
   Er erlöst, wenn fort und fort
   Ich mich stütze auf sein Wort.
      Er erlöst, wie wunderbar!
      Er erlöst mich immerdar.

5. Er erlöst von Sünd und Schuld,
   Er erlöst voll Gnad und Huld,
   Du, mein Jesu, wohnst in mir.
   Freudig zeug ich nun von dir.
      Du erlösest wunderbar,
      Du erlösest immerdar.

Der Wanderer.

1. Die Last auf dem Rücken, den Stab in der Hand, So wandr' ich wie
Ja-kob als Pil-ger durch's Land. Das Land ist so fremd und so
sau-er der Gang, Doch wandr' ich ge-trost und doch ist mir nicht
bang. Doch wandr' ich ge-trost und doch ist mir nicht bang.

2. Kein Aug hat's gesehen, kein Ohr hat's gehört,
Was Gott in den Höhen den Seinen bescheert.
Und was ich in Stunden des Glaubens gehofft,
Mir selbst ist's entschwunden gleich Träumen so oft.

3. Doch tief in dem Innern, da dämmert mir froh
Ein selig Erinnern: es ist ja doch so.
Es ist ja kein Traum, der den Träumer berückt,
Es ist ja kein Schaum, was den Geist mir entzückt.

4. Es gilt was im Hoffen, im Glauben ich sah:
Der Himmel ist offen, die Engel sind nah.
Der Gott meiner Väter hält über mir Wacht,
Bis daß er den Beter nach Hause gebracht.

5. Und leg ich am Ziele mich schlafen im Feld,
Die Erde zum Pfühle, den Himmel zum Zelt,
Dann darf ich entschweben zum lichteren Raum,
Zum Traum wird das Leben, zum Leben der Traum.

Mein Jesus liebt mich.

„Daran haben wir erkannt die Liebe, daß er sein Leben für uns gelassen hat." 1 Joh. 3, 16

Innigfroh.

1. { Ich bin so froh für den Trost, den Gott giebt,
{ Manch' Wun = der = ding in der Bi = bel find' ich;

2. { Hab' ich mich von Ihm, dem Treu = en, ge = wandt,
{ Eilt mein Herz, daß es sich in Ihn ver = kriech',

1. Daß Er un = end = lich und herz = lich uns liebt.
Doch kein's wie die = ses: Mein Je = sus liebt mich!

2. Mich in manch' Thor = heit und E = lend ver = rannt,
Wenn ich darf hö = ren: Mein Je = sus liebt mich!

Chor.

f   pp

Ich bin so froh, mein Je = sus liebt mich, Je = sus

f   pp

Erstes Mal.   Zweites Mal.

liebt mich, Je = sus liebt mich!   mich, ja mich!

p   mf

p   mf

3. Dies ist mein einer und liebster Ge-
   sang.
   Tausendfach halle und schalle sein
   Klang;
   Bis jedes Herz davon jubelt in sich:
   O welch' ein Wunder: Mein Jesus liebt
   mich!

4. Jesus liebt mich und ich weiß, ich lieb'
   Ihn,
   Er stieg vom Throne, mich zu sich zu
   ziehn.
   Mich zu erlösen Er sterbend verblich;
   D'rum ist's gewißlich: Mein Jesus
   liebt mich!

5. Möcht' Jemand fragen, woher ich dies
   weiß,
   Rühm' ich's mit Freuden, dem Heiland
   zum Preis:
   Sanft lispelt in mir so wunderbarlich
   Sein Geist beständig: Mein Jesus liebt
   mich!   [Chor.

6. Mit diesem Zeugniß strömt Segen mir
   zu.
   Jesu vertrauen, ist himmlische Ruh'.
   Satan muß weichen mit tödtlichem
   Stich,
   Wenn ich ihm sage: Mein Jesus liebt
   mich!

Lebt wohl!

J. Wehrli.

1. Lebt wohl, wir sehn uns wie-der, Laßt uns zum Him-mel gehn,
2. Lebt wohl, im Herrn ver-bun-den, Den Heimath-weg zu gehn;

1. Ihr Schwestern und ihr Brü-der, Lebt wohl auf Wie-der-sehn,
2. Ihr, die ihr Ihn ge-fun-den, Lebt wohl auf Wie-der-sehn.

wohl auf Wie-der-sehn, Lebt wohl auf Wie-der-sehn.

Das Blut des Hirten.

2. Ströme mächtig in die Seele,
Die am Pilgerjoch sich müht;
Fülle sie, daß ihr nicht fehle
Liebe, die für Jesum glüht.
Ach, wie könnt' aus eig'nem Willen
Ich die heil'ge Pflicht erfüllen,
Ihm in Liebe mich zu weih'n,
Ganz und ewig sein zu sein!

3. Schließen sich die Augenlider
Mit dem letzten Hauche zu,
Dann sink' auf die Kämpfer nieder,
Jesu, deines Todes Ruh'!
Auf dein heiliges Erblassen
Will ich mich getrost verlassen,
Wenn mich aus des Lebens Leid
Ruft dein Wink zur Ewigkeit.

Ruhe saft.
(Grablied.)

Mel. Das Blut des Hirten.

Von G. Weiler.

1. Ruh denn sanft, du müde Hülle,
Von des Lebens Kämpfen aus,
Durch des Grabes heil'ge Stille
Führt der Weg zum Vaterhaus.
Einstens wirst du auferstehen,
Wirst verklärt den König sehen,
Wirst mit der erlösten Schaar
Feiern ew'ges Jubeljahr.

2. Müde Hülle, wirst dann prangen
In des Königs Herrlichkeit,
Jubel wird dich dort umfangen,
Wonne, Heil und Seligkeit.
Heil! Dort finden wir uns wieder,
Singen Preis- und Dankeslieder,
Steh'n vereint vor Gottes Thron,
Prangend in des Lebens Kron'.

Wie selig sind die Kleinen.

1. Wie se-lig sind die Klei-nen, Die man noch leh-ren
2. Sich nicht mehr wei-sen las-sen, Schon al-les selbst ver-

1. kann! Ihr Gro-ßen mögts be-wei-nen, Die Schul' ist zu-ge-than.
2. stehn, Zucht und Be-strafung has-sen, Heißt das nicht un-ter-gehn

3. Kommt, Lämmer! kommt und höret,
Von früh bis in die Nacht,
Was Gott vom Himmel lehret,
Was gut und selig macht.

4. Die Weisen bleiben Thoren,
Wenn sie das nicht verstehn.
Die Großen gehn verloren,
Wenn sie den Weg nicht gehn.

19

Ruhe für die Müden!

Worte von G. Weiler.

1. Heimath = land in Himmels = höhen! Ha = fen sü = ßer Got = tes = ruh.
2. Je = sus ist vor = an = ge = gangen, Hat die Stät = te mir be = reit!

1. Mir zum Erbtheil aus = er = se = hen, Freu = dig ei = le ich dir zu.
2. Huldreich wird er mich em = pfan = gen In dem Land der Se = lig = keit.

Chor.

Heil nach Kampf und Er = mü = den, Wird mir Ru = he be = schie = den,

Nach dem Streit ew'ger Frie = den, Sü = ße Himmels = ruh. Ja nach

al = len Le = bens = stür = men, Werd' ich e = wig ge = nie = ßen

Dort auf Sa = lems heil' = gen Hö = hen Sü = ße Himmels=ruh.

3. In des Vaterhauses Räumen
Wird kein Seufzer je gehört.
Unter seinen Lebensbäumen
Ewig nie ein Herz beschwert.   [Chor.

4. Selbst der Tod ist überwunden,
Trennungsweh bleibt unbekannt.
Leben wird ja nur gefunden
In dem beffern Vaterland.   [Chor.

5. Lobgesängen wird man lauschen,
Dort auf Zions heil'gen Höh'n.
Wo die Himmelschöre rauschen,
Wo die Heimathslüfte wehn.   [Chor

6. Wo wir dann dem König schauen
In sein leuchtend Angesicht.—
O wer wollt' nicht Hütten bauen,
Gottesstatt in deinem Licht.   [Chor.

Sei ewig gepreist.

Andante.

1. Sei e = wig ge=preist, Gott hei = li = ger Geist, Daß du mich ge=

lehrt, Wie freund = lich mein Je = sus zu Sün = dern sich kehrt.

2. Ach ginge mein Sinn
Doch einzig dahin,
Nach Seel' und Gebein
Dein Herz, o mein Heiland, dich recht
zu erfreu'n!

3. Mein Geist sei dir heut'
Auf's Neue geweiht;
Regiere darin
Nach deinem verborgensten Rathe und
Sinn!

Ein Tagwerk für den Heiland.

Einfach.

1. Ein Tagwerk für den Heiland, Das ist der Mü- he werth! Die Welt wird kleiner, Das Herz wird reiner, Das ist's, was Er bescheert. Was Er uns heißt,

Chor.

Giebt Er durch Seinen Geist. Ein Tagwerk für den Heiland, Ein Tagwerk für den Heiland, Ein Tagwerk für den Hei-land, Das ist der Mü- he werth.

2. Ein Tagwerk für den Heiland,
Wie groß ist der Beruf!
Es ist kein Zwingen,
Es ist ein Dringen
Der Liebe, die mich schuf.
Ich bin nicht mein,
Mein Alles ist ja Sein.

3. Ein Tagwerk für den Heiland,
Die Arbeit ist so süß!
Das Heil von Sünden
Laut zu verkünden,
Das bringet Lohn gewiß;
Auf Erden schon
Giebt Er uns Seinen Lohn. [Chor.

4. Ein Tagwerk für den Heiland,
Oft wird man freilich matt,
Doch giebt Er Stärke
Zu Seinem Werke,
Steht bei mit Rath und That;
Der treue Herr
Hilft immer mehr und mehr. [Chor.

5. Ein Tagwerk für den Heiland,
O wirket immer zu!
Trotz Weltgetümmel
Ist man im Himmel,
Hat in der Unruh Ruh;
Herr, hilf Du mir,
Noch fleißig wirken hier! [Chor.

Hilf uns, o Heiland!

Worte von C. Ott.

1. O Heiland, komm, hilf uns Dein eigen zu sein, Das Herz und die Kräfte Dir gänzlich zu weihn, Das Eitle zu lassen, Dich lieben allein, Für Dich nur zu wirken, die Sünde zu scheun. Hilf uns, o Jesu, Führ uns zurecht. Sei unser Führer, das Leben, die Wahrheit, der Weg.

2. O möchten wir Jesu recht ähnlich Dir sein,
So gütig, so sanft und von Sünden so rein;
Mit Freude und Friede und Liebe erfüllt,
Verkläre in Dein eigenes heiliges Bild.

3. So komm denn und wohne und throne im Herz,
Sei mit uns im Kampfe, im Leide, im Schmerz.
Blick auf uns hernieder vom himmlischen Thron
Im Tode sei bei uns, gib dort uns die Kron.

Hier ist mein Herz!

1. { Hier ist mein Herz! Mein Gott, ich geb es dir,
   „Nimm es der Welt, Mein Kind, und gieb es mir!"

   Dir, der es gnä = dig schuf. }
   Dies ist an mich dein Ruf. }
   Hier ist das O = pfer

   mei = ner Lie = be; Ich weih es dir aus treu = em Trie=

   be; Hier ist mein Herz! Hier ist mein Herz!

2. Hier ist mein Herz!
   O nimm es gnädig an,
   Ob ihm gleich viel gebricht.
   Ich geb es dir, so gut ich's geben
   kann.
   Verschmäh die Gabe nicht!
   Es ist mit böser Lust besteckt,
   Mit Sünd erfüllt, mit Schuld bedeckt,
   Mein sündig Herz.

3. Hier ist mein Herz!
   Es sucht in Christo Heil,
   Es naht zum Kreuze hin
   Und spricht: „O Herr, du bist mein
   Gut und Theil.
   Dein Tod ist mein Gewinn!"
   Es hat in des Erlösers Wunden
   Trost, Ruh und Seligkeit gefunden,
   Mein gläubig Herz.

Nun ist es geschehen!

Andante.   A. Sulger.

1. Nun ist es ge = sche = hen! Ich bin nicht mehr mein, Des
2. Nun ist es ge = sche = hen! Die Frei = heit ist hin, Weil

1. Herrn will ich im = mer und e = wig = lich sein! Er hat mich er = schaf = fen, er
2. ich ein Ge = bund = ner Jn = ma = nu = els bin. Was Freiheit? Ich war ein ge =

1. hat mich er = kauft, Er ist's, der mit Geist und mit Feu = er getauft.
2. fej = jel = ter Knecht Der Welt und des Sa = tans, nun komm ich zurecht.

3. Nun ist es geschehen! — Der Herr ist mein Heil;
   Mein Führer auf Erden, im Himmel mein Theil.
   Er schalte und walte mit Unglück und Glück —
   So bin ich's zufrieden, ich geh nicht zurück.

4. Nun ist es geschehen! — O seliger Bund!
   Ich weihe dem Heiland Herz, Lippen und Mund
   Zum Reden und Schweigen nach seinem Geheiß,
   Zum Beten und Singen, dem Vater zum Preis.

5. Nun ist es geschehen! — Nun leb ich in dir,
   Mein Licht und mein Leben; ach, bleibe bei mir!
   So folg ich als Jünger dir immerdar nach,
   Durch Süß und durch Bitter, durch Ehre und Schmach.

6. Nun ist es geschehen! — Mein Heiland, es gelt!
   In deine Hand hab ich mich gänzlich gestellt;
   Dir leb ich, dir sterb ich, dir bleib ich getreu;
   Ja, dein bin ich, Jesu — es bleibe dabei!

Geh', traurige Seele.

Worte von Geo. Guth.

1. Geh', trau-ri-ge See-le, Geh', be-de-cke dein Leib.
2. Geh', sa-ge es Je-sus, Er ken-net dein Herz.

1. Die Welt hat nur Kum-mer, Dein Hei-land nur Freud'.
2. Geh', sa-ge es Je-sus, Er lin-dert den Schmerz.

1. Geh', sa-ge es Je-sus, Wo es dir ge-bricht,
2. Er kennt dei-nen Kum-mer, Er nur dich be-freit.

1. Er wird sich er-bar-men,— Er läs-set dich nicht. —
2. Geh', samm-le die Freu-den,— Die Er dir be-reit. —

3. Begegnen dir Herzen, Voll Kummer und Weh,
Verlassen in Trübsal,—Geh', tröste sie, geh'!
Vergiß deine Schmerzen, Laß Andre verstehn,
Wie Dem du vertraueft,—Der Alles versehn.

4. Bald endet die Reise, Bald ruhest du aus,
Dann bist du auf ewig Bei Jesu zu Haus.
D'rum laß nichts dich drücken, Nicht Sorgen noch Schmerz,
Bald ziehet dich Jesus—An sein Vater-herz.

Die Felsenkluft.

1. In der Fel = sen = kluft ge = bor = gen, Si = cher vor des Sturms Ge =
2. Lan = ge, lang hab ich ge = ir = ret Auf dem wei = ten, bü = stern

1. braus, Still und froh und oh = ne Sor = gen Ruh ich nun auf e = wig
2. Meer; Wollt auch wo mein Schifflein an = kern, Ach! der Strand war öd und

1. aus. In der Fel = sen = kluft ist Frie = den, Trotz der Fluth, die mich un =
2. leer. A = ber nun hab ich ge = fun = den Ei = nen Ha = fen sich = rer

Refr. In der Fel = sen = kluft ge = bor = gen, Si = cher vor des Sturms Ge =

D. C. dal 𝄋.

1. giebt; Mit = ten in der wil = den Brandung Bleibt die Ru = he un = ge = trübt.
2. Ruh' In der Kluft des ew'=gen Fel = fen, Der mich deckt so fe = lig zu.

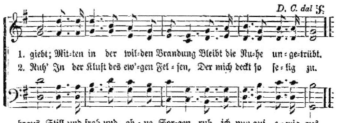

braus, Still und froh und oh = ne Sor=gen ruh ich nun auf e = wig aus.

Erlöst!

Nicht zu langsam.

1. O sel = ge Er = lö = sung! O hei = li = ges Blut! Ich
2. O sel = ge Er = lö = sung! Der Hei = land ist mein! Nun

1. tau = che mich tief hin = ein in die = se Fluth, Von Sünd' und Un=
2. ist kein Ver = dam = men, noch ängst = li = che Pein; Mein sünd = li = cher

1. rei = nig = keit macht es mich frei, Ich jauch = ze voll sel' = ger Freud,
2. Zweifel darf trü = ben sein Licht; Ich weiß, ich bin sein, und er

1. Je = sus ist treu. }
2. läs = set mich nicht. } Es sei Ihm Lob, Dank ge=bracht, Ihm, der in

rit.   Sehr langsam.

Lie = bes=macht, hin = gab sein köst = lich Blut, Sün = dern zu gut.

3. O sel'ge Erlösung! Wie hab' ich's so gut!
Für jegliche Wunde ist Heil in dem Blut,
Und all meine Sorgen und jeglichen Schmerz
Nimmt er, wenn ich lege mein Haupt an sein Herz.
Es sei ihm Lob, Dank gebracht, 2c.

4. O Jesu, Gekreuzigter! Nimm meinen Dank!
Mein König, mein Hirte, dir tönt mein Gesang:
Dich preis' ich im Leben, dir jauchz ich im Tod,
Du starker Erlöser, mein Herr und mein Gott!
Es sei ihm Lob, Dank gebracht, 2c.

Weihnachtslied der Kinder.

Nicht zu schnell.

1. In Bethlehem, dem kleinen Ort, Im dunkeln Herbergsstalle dort, Auf hartem Heu gelegen, Was leucht't uns hell entgegen? O Jesuskind, so hold und rein, Es strahlen deine Aeugelein.

2. Sie blicken freundlich in die Welt, Wie Sterne von dem Himmelszelt, Des Vaters Gnade schauet wieder In diesen Aeuglein auf uns nieder. O Jesuskind, so hold und rein, Wir möchten Gottes Kinder sein.

3. Und ist auch stumm dein holder Mund,
Er thut uns sel'ge Wunder kund,
Von Gottes Huld und Vatertreue,
Die für uns sorget stets auf's Neue.
O Jesuskind, so hold und rein,
Laß uns recht dankbar dafür sein.

4. Du lächelst uns so freundlich an,
Die wir so oft Dir weh gethan,
Die Hände streckst Du uns entgegen:
O Jesu, gieb uns Deinen Segen!
Ja Himmelskind, so hold und rein,
Wir wollen All' Dein eigen sein! —

Mein Sabbath-Heim.

Worte von Geo. W. Reitz.

1. O Sonntag-schu-le theu-er mir, Wie lit-nes Für-sten Heim;
2. Hier lern-te einst mein ar-mes Herz Den Weg zum Him-mels-Heim.

1. Ich seh-ne mich so oft nach Dir, Mein lie-bes Sab-bath-Heim.
2. Hier ward ich frei vom Sün-den-schmerz Und fand ein Sab-bath-Heim.

Chor.

Sabbath-Heim! Sü-ßes Heim! Sabbath-Heim! Sü-ßes Heim!

Süß Heim! Süß Heim! Süß Heim! Süß Heim!

Mein Her-ze sehnt sich oft nach Dir, Mein lie-bes Sab-bath-Heim.

3. Hier rief mir Jesu Hirtenstimm',
Komm, irrend Lamm! komm Heim,
Hier weilt' ich Herz und Leben lim,
Zu einem Sabbath Heim.   [Chor.

4. Und wann mein Herz im Tode bricht,
So hör' ich: „Kind, komm Heim!"
Mein Jesus bringt euch dann zum Licht,
In's ew'ge Sabbath-Heim.   [Chor.

Näher daheim!

Worte von P. A. Mölling.

1. O sü-ßer Hoff-nungs-strahl! Ob auch der A-bend graut, Mein
2. Der A-bend ist wohl schwül Und ich bin müd und matt; Tauf

Chor.

1. Blick im Him-mels-saal die Kro - ne schaut. } Schon nä-her da-heim,
2. löm-ter mich so viel ge-ru-fen hat.

Nä-her da-heim, Nä-her der Hei-math zu. Der

Sanft zu wiederholen.

Va - ter weiß es, ich kom-me schon Und schen-ket mir Frie-den und Ruh.

3. O Jesu, Deine Hand,
   Die halte mich jetzt fest;
   Wenn an des Jordan's Strand
   Mich Alles läßt.

4. Jetzt gehe Du voran,
   Du warst ja längst schon hier,
   Du kennst die düstre Bahn
   Und bleibst bei mir.

5. Im Todesthal mein Stab,
   O sieh, mir grauet nicht!
   Wenn Dich den Freund ich hab',
   Wann's Herze bricht.

6. Horch! Wie die Welle rauscht!
   Doch drüben Lichtesschein!
   Ich weiß: der Vater lauscht,
   Ich bin ja sein.

Jesus ist nah.

Andante. dolce.   Lauterburger.

1. Ach, mein Herr Je=su, dein Na=he=sein Bringt gro=ßen Frie=den in's Herz hin=ein, Und dein Gna=den=an=blick macht uns so se=lig, Daß Leib und See=le dar=ü=ber fröh=lich Und dank=bar wird, Und dank=bar wird.

2. Wir sehn dein freundliches Angesicht,
Voll Huld und Gnade, zwar leiblich
nicht;
Aber unsre Seele kann's schon gewahren,
Du kannst dich fühlbar gnug offenbaren
:,: Auch ungesehn. :,:

3. Ach gieb an deinem kostbaren Heil
Uns alle Tage vollkommnen Theil,
Und laß unsre Seele sich immer schicken,
Aus Noth und Liebe nach dir zu
blicken
:,: Ohn Unterlaß! :,:

Der Bund.

W. Fink.

1. Wir rei=chen uns zum Bun=de Die treu=e Bru=der=hand;
Es ruht auf Fel=sen=grun=de Die Lie=be, die uns band.
Ein Wort hat uns ver=bun=den; Wir tra=gen ein Pa=
nier: Das Wort von Je=su Wun=den Ist
un=sers Bun=des Zier, Ist un=sers Bun=des Zier.

2. Und ob auch alle weichen,
Auf falschen Pfaden gehn,
Uns eint ein Bundeszeichen;
Das kann kein Sturm verwehn.
Das Zeichen, das wir tragen,
Das ist ein Kreuz im Schild;
Das Ziel, dem wir nachjagen,
:,: Ist unsers Jesu Bild. :,:

3. So sei der Bund beschworen,
Erneut in schwerer Zeit;
Als Wahlspruch sei erkoren:
Ihm treu in Ewigkeit!
Und mag die Welt zersplittern,
Uns bleibt das Schiboleth:
Der Glaube darf nicht zittern,
:,: So lang das Kreuz noch steht! :,:

Der große Führer.

Worte von Geo. Guth. Harmonisirt von G. H. Luckenbach.

1. Kommt, Kin-der, kommt, zum Kampf euch stellt, Mit Je-sus in den Krieg. Die al-le Rei-che die-ser Welt Be-sin-gen sei-nen Sieg. Geht, sucht ver-lor-ne See-len auf, Die Je-su Herz ge-rührt, Und wankelnd auf dem schmalen Lauf, Be-

Chor.

den-ket, Je-sus führt. Je-sus führt zur ew'-gen Ruh, Nur Er al-lei-ne führt; D'rum trau-et Ihm auch Al-les zu, Be-den-ket, Je-sus führt.

2. Die jungen Streiter in dem Feld,
Für Gottes Reich und Ehr';
Die sollen sehn, wie Er erhält,
Der Feinde Schutz und Wehr.
Die arme Welt in Finsterniß,
Verloren ohne Hirt,
Soll werden ihres Heils gewiß.—
Bedenket, Jesus führt. [Chor.

3. Geht auf dem Feld zu, wie ein Held,
Geht in der Gnade Kraft,
Und wenn ein Fahnenträger fällt,
Dann helfet ihm mit Macht.
Geht, rühmet seine große Lieb',
Die euch so herrlich ziert,
Und ist der Todesweg auch trüb.—
Bedenket, Jesus führt. [Chor.

Der fünfjährige Krieger.

1. Ich bin ein klei = ner Krie = ger, Und nur fünf Jah = re alt.

Ich strei = te für den Hei = land um ei = ne Kron' von Gold.

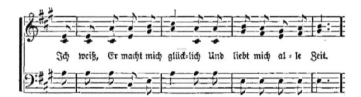

Ich weiß, Er macht mich glück = lich Und liebt mich al = le Zeit.

Ich bin Sein klei = ner Krie = ger In Sei = nem heil'=gen Streit.

2. Ich lieb' den theuren Heiland,
   Weil Er auch starb für mich;
   Und wenn ich Ihm nicht diente,
   Wie sündig wäre ich!
   Er giebt mir alle Gaben,
   Und höret auf mein Fleh'n,
   Ich wünsche Ihm zu leben,
   O Herr, laß es gescheh'n!

3. Thun kann ich jetzt nur wenig,
   Doch, wenn ich bin ein Mann,
   Thu' ich für meinen Jesus
   Das Größte, das ich kann.
   Herr hilf! Und mach' mich gläubig,
   Gieb Kraft zu meinem Thun,
   Als Christ für meinen Heiland
   Zu leben und zu ruh'n!

20

Die Neun und Neunzig.

Worte von G. Weiler.

1. Sieh, Neunzig und Neun in sich'rer Ruh, In treu-er Hir-ten-
2. Sieh, Hir-te, so Vie-le sind noch Dein, Das Ei-ne laß nur

1. wacht. Doch Ei-nes eilt dem E-lend zu Und
2. fliehn. Der Hir-te sprach: „Auch dies ist mein, Will

1. ir-ret in finst'rer Nacht. Es irrt in der Wü-ste wil-dem Land,
2. rettend es zu mir ziehn. Wär' auch der Weg noch so rauh und steil,

1. So fern von der treu-en Hir-ten-hand, Hir-ten-hand.
2. Ich su-che doch mei-nes Scha-fes Heil, Schafes Heil.“

3. Verzehret von heil'gem Liebestrieb,
Sinkt er in tiefste Noth. ·
Will sterben, seinem Schaf zu lieb,
Zu retten es von dem Tod.
Und sieh, wie sein Herz vor Freud' ent-
brannt,
Als blutend sein irrend Schaf er fand.

4. Da tönt es so laut durch Berg und
Thal,
Tönt durch die Himmelshöhn!
Und braust im frohen Wiederhall:
„Die Rettung ist nun geschehn!
Auf! jauchze mit Freuden, sel'ge Schaar,
Gefunden ist, was verloren war!“

Sollt' ich da nicht singen?

Worte von Geo. Guth.

1. Mein gan-zes Le-ben ist Ge-sang, Seit Je-sum ich ge-fun-den;
In sei-nem Blut bin ich er-löst, Ich ruh' in sei-nen Wunden.
Durch al-len Kum-mer die-ser Zeit Hör ich die Stimm' er-klin-gen,
„Ich bin dein Hei-land, du mein Kind!" Wie?—Sollt' ich da nicht singen?—

2. Und schwindet auch der Erde Freud',
Mein Heiland lebt ja immer;
Was, wenn mich Finsterniß umhüllt?
Mir strahlt der Gnade Schimmer.
Kein Sturm erschüttert meine Seel',
Kein Feind kann hier eindringen.
In Ihm hab ich der Freuden Quell—
Wie—sollt' ich dann nicht singen?—

3. Ich blick auf ihn den Morgenstern,
Und sieh, die Wolke fliehet!
Ich folg' ihm nach so froh und gern,
Weil seine Lieb mich ziehet,
Und Friedensströme klar und rein
Mein Leben sanft durchdringen.
Mir mangelt nichts, denn ich bin sein,
Wie—sollt' ich dann nicht singen?—

Das geheime Gebet.

Worte von J. A. Reitz.

1. Ich denk an je = ne sel'=ge Stund, Die oft mein Leib ver=
2. Wann nach dem Tag die A = bend=luft So lei = se mich um=

1. füßt, Wann im Ge = bet vor Got=tes Thron Mein Herze sich er = gießt.
2. weht, Da wird mir Leib und Seel' er=quickt Im gläubi=gen Ge = bet.

Chor.

O wie süß ...... ist mir der Ton, mir der Ton,

O wie süß ist mir der Ton, Der mir

ruft— von dem Thron— Ar = mes Kind ..... blick

Der mir ruft von dem Thron, von dem Thron— Ar = mes Kind blick

nur em = por; Je = sus leiht sein gnä=dig Ohr.

nur em = por, nur em = por.

3. Ich höre Engelstimmen sanft
Durch Abendlüfte ziehn,
Und Thau vom Hermon fließt so reich,
Daß ich gesättigt bin.　　[Chor.

4. Kommt dann die letzte Stunde mir,
So bin ich nicht allein.
Mit Beten nehm ich Abschied hier
Und betend geh ich heim.　　[Chor.

Mit Gefühl.　　**Mutter, hüte!**

1. Mut = ter, hüt' den klei = nen Fuß! Scheu' nicht Mü = he und Ver = druß:
2. Mut = ter, hüt' die klei = ne Hand, Hü = te sie ja un = verwandt!

1. Gieb auf je = des Schrittchen Acht, Wa = che Tag und Nacht!
2. Laß sie aus dem Au = ge nie: Wa = che spät und früh!

1. Kleine Füß = chen strau = cheln sehr, Trip = peln müh = sam kreuz und quer;
2. Kleine Händchen schaf = fen viel Un = be = dacht im Kin = der = spiel,

1. Und Ge = fah = ren oh = ne Zahl Brin = gen sie zum Fall!
2. Und was heu = te harm = los scheint, Wird oft einst be = weint!

3. Mutter, hüt' das kleine Herz!
Bringt es dir auch manchen Schmerz,
Halt es immer offen dir:
Wache für und für!
Kleine Herzchen, zart und weich,
Können sich verhärten gleich;
Und was lieb und treu einst schlug,
Bringt dann Lug und Trug!

4. Wache, Mutter, früh und spät,
Daß das Füßchen sicher geht,
Und daß treu die kleine Haub
Kommt durch's ganze Land!
Halt das kleine Herzchen rein,
Laß es einen Garten sein,
Der nur edle Früchte bringt,
Glück und Heil dir winkt!

Er führet mich.

Worte von C. Ott.

1. Er füh-ret mich! O welch' ein Glück! O Wort, das mir viel Ru-he bringt.
2. Bald führt er mich durch's finst-re Thal, Bald führt er mich zum Freu-den-saal,

1. Was ich auch thu, wo ich auch bin, Da füh-ret Got-tes Hand mich hin. —
2. Ob Nacht, ob Licht, vor-an zieh ich, Denn sei-ne Hand die füh-ret mich.

Chor.

Er füh-ret mich, er füh-ret mich. Ja er, mein Va-ter füh-ret mich. Ihm

treu-lich fol-gen will auch ich, Da er, mein Va-ter füh-ret mich.

3. Ob's denn nun stürmt und tobt umher,
   Ob wogt und schäumt das Lebensmeer,
   So klag' ich nicht, ja freue mich,
   Denn du, o Gott, du führest mich.

4. Und wann mein Werk dann hier gethan,
   Wenn durch die Gnad' ich Sieg gewann,
   So graut mir vor dem Tode nicht;
   Denn Gott, mein Hort, verläßt mich nicht.

Ich brachte alles Jesu.

Moderato.

1. Ich brach-te al-les Je-su, Je und je, Al-le mei-ne Sün-de,
2. Ich brin-ge al-les Jesu, Denn Er macht, Daß aus bittrem Lei-de

1. All mein Weh. Als am Kreuz ich sa-he Ihn im Blut, Hört' ich leis' Ihn
2. Freud' erwacht. Daß man durch die Thränen Doch Ihn sieht, Daß der Wü-ste

1. flü-stern: „Dir zu gut!" Aus dem Her-zen schwanden Angst und Plag.
2. Gar-ten Wie-der blüht. Läßt in mei-ner Schwachheit Er mich nicht,

1. Sel'ger Tag! Aus dem Her-zen schwanden Angst und Plag'. Sel'ger Tag!
2. Wird es licht. Läßt in mei-ner Schwachheit Er mich nicht, Wird es licht.

rit.

3. Ich bringe alles Jesu,
   Tag für Tag,
   Glaube traut Ihm sicher,
   Komm' was mag.
   Hoffnung senkt den Anker
   Allerwärts
   In den stillen Hafen,
   In Sein Herz.
   Liebe hat den Himmel
   Allzeit nah, Ist Er da.

4. O bringe alles Jesu,
   Bange Seel'!
   Und dein ganzes Elend
   Ihm erzähl',
   Sieh, in Seinen Händen
   Ruht die Welt,
   Ihm ist Tod und Leben
   Heimgestellt.
   Denn an Seinem Herzen
   Ist dein Heim — O kehr' heim!

242

Ach, Blätter nur!

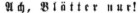

1. Ach, Blätter nur! Das ist be-trübt, Sieh' wie dein Hei-land weint!
2. Ach, Blätter nur! Wo ist die Frucht Von dei-ner Le-bens-saat?

1. So we-nig Treu' hast du ge-übt, So wenig hast du Ihn geliebt, Daß
2. Schon lang hat sie dein Herr gesucht; Bald wird es heißen: Sei verflucht! O

1. nichts an dir er-scheint, Als Blätter nur, ach, Blät-ter nur!
2. we-he, wer nichts hat Als Blätter nur, ach, Blät-ter nur!

3. Ach, Blätter nur! O Schmach und Leid!
Das Leben eilt dahin;
Verloren hast du deine Zeit,
Versäumt hast du die Ewigkeit,
Was hast du zum Gewinn?
Ach, Blätter nur, ach, Blätter nur!

4. Ach, Blätter nur! Wie kannst du so
Vor deinem Herrn besteh'n?
Da wirst du keiner Garbe froh,
Da brennt die Flamme lichterloh,
Wie Spreu wirst du verweh'n!
Ach, Blätter nur, ach, Blätter nur!

Auf ewig daheim!

Worte von J. A. Reiß.

1. Ich weiß, du bist nun-mehr auf e-wig da-heim, Wo

Thrä=nen nicht sind, noch der Schmerz; Ja, ich weiß, du bist dort, wo die
Sel' = gen sich freu'n; O, war=um ist be = trübt denn mein Herz?

Chor.

Oft seh' ich, wenn And=re schon schlummern in Ruh, Im
Geist dei=ne lich = te Ge=stalt; Und es däucht mir, als hört' ich dein
A = men ba=zu, Wenn mein Fle = hen so lei = se ver=hallt.

2. In himmlischer Heimath, so fern sie mag sein,
Gedenkest du meiner gewiß;
Denn im Geist kann ich deiner Gemein=
schaft mich freu'n,
Und die ist mir so theuer, so süß. [Chor.

3. Dein Flüstern vernehm ich in Stunden der Noth
Wie Engelsgesänge, so schön, [Gott:
Und ich falte die Hände und bete zu
„Ja, dein Wille, o Herr, soll geschehn."
[Chor.

21

Raum an Jesu Herzen.

Nicht zu langsam.

1. { Es ist noch Raum in bei = nem Her = zen Für mein ge=
    O lind're doch die See = len=schmer=zen Und zeuch mich,

äng = stet trau = rig Herz:
zeuch mich him = mel=wärts; } Mein Hei = land, nimm mich

zu dir ein Und laß mich e = wig si = cher

sein, Und laß mich e = wig si = cher sein.

2. Es ist noch Raum in beinen Armen:
   Du streckest sie ja täglich aus
   Und trägst uns liebreich mit Erbarmen
   Hinauf in deines Vaters Haus.
   Ich fall' in diese treue Hand:
   Sie trägt gewiß in's Vaterland.

3. Es ist noch Raum bei deiner Heerde:
   Auch ich Verirrter komm' hinzu.
   Du willst, daß nichts verloren werde:
   D'rum such' ich bei dir meine Ruh',
   Bei dir, dem großen Sünderfreund,
   Der's ja so gut, so redlich meint.

Wünschen, Hoffen, Wissen.

Worte von A. Flammann.

1. Gar lange Zeit ging ich verblendet einher, Mein Herz, voll von Sünde, war traurig und schwer; Ich hörte, wie And're im Heiland sich freun, Und

Chor.

wünschte so sehnlich, daß Jesus wär' mein. Daß Er wäre mein, ja, daß Er wäre mein, Ich wünschte so sehnlich, daß Jesus wär' mein.

Ich las, wie der Heiland mir Gnade verheißt;
Daß Er, wenn ich komme, mich nicht von sich weist;
Daß Sein theures Blut mich von Sünden wäscht rein,
Und fing an zu hoffen, daß Jesus sei mein.

Chor: Daß Jesus sei mein, ja daß Jesus sei mein;
Ich fing an zu hoffen, daß Jesus sei mein.

3. Unendliche Gnade, Er rettet auch mich!
"Dein ewiges Erbtheil," sagt Er, "bleibe Ich!"
Ich trau Seinem Wort, und ich lieb' Ihn allein,
Ich hoffe nicht länger, ich weiß, Er ist mein!

Chor: Ich weiß, Er ist mein, ja ich weiß, Er ist mein;
Ich hoffe nicht länger, ich weiß, Er ist mein.

Keines ist zu klein.

2. Hört's, der Heiland rufet euch!
Hört es nicht vergebens.
Daß Er euch im Himmelreich
Schreibt in's Buch des Lebens.
Wer dort steht mit Seinem Blut,
Hat es jetzt und ewig gut.
Hört's, der Heiland rufet euch,
Hört es nicht vergebens!

3. Hört's, wie unter jener Schaar
Sel'ger Ueberwinder
Jubiliren laut und klar
Auch gar viele Kinder,
Deren junges, frommes Herz
Jesus rief schon himmelwärts
Wollt ihr zu der sel'gen Schaar:
Werden Gottes-Kinder.

Schneeweiß.

(Jes. 1, 18.)

1. Herr Jesu, ich wä-re so ger-ne ganz heil, Und hätte dich gerne zum
2. Herr Jesu, laß gar nichts Unreines in mir; Entsün-di-ge mich, daß ich

1. bleiben-den Theil. Die Götzen zer-brich, und die Ban-de zerreiß;
2. hei-lig sei dir. Ich ge-be dir ger-ne mein Alles zum Preis;
O

Chor.

wasche mich, mache wie Schnee mich so weiß, So weiß wie der Schnee,

So weiß wie der Schnee; O Jesu, dein Blut macht mich weiß wie der Schnee.

3. Herr Jesu, o komme du selber zu mir,
Und beu'ge zum völligen Opfer mich dir,
Ich bringe dir, was ich nur habe und weiß;
O wasche mich, mache wie Schnee mich so weiß.
[Chor.

4. Herr Jesu, du siehst es, still harre ich dein.
O schaffe ein Herz in mir, heilig und rein.
Die Lieb'nden erhören, das dient dir zum Preis;
O wasche mich, mache wie Schnee mich so weiß.
[Chor.

5. Herr Jesu, hier liege zu Füßen ich dir,
Dein Blut macht ja rein; Herr, ich flehe allhier:
Komm, zeig deine Huld, deine Allmacht beweis;
O wasche mich, mache wie Schnee mich so weiß.
[Chor.

6. Im Glauben empfang ich den Segen von dir;
Du schaffst ein gereinigtes Herze in mir;
Du hast mich erhöret, mein Heiland, ich weiß,
Du hast mich gewaschen wie Schnee nun so weiß.
[Chor.

Jesu, bleibe mein!

Worte von G. Weiler.

1. Jesu, mei = ner Seele Freund, Bleib, o bleib mir stets ver=
2. Jesu, hel = ler Morgenstern, Gottes=licht, sei mir nicht

1. Jesu, mei = ner See = le Freund, Bleib, o bleib mir

1. eint. In Dir ruht mein Heil al = lein, Sollst mir
2. fern, Dunkel ist's, wo du nicht bist, In Dir

1. stets bereint. In Dir ruht mein Heil al = lein,

1. e = = wig Alles sein, Daß mein Herz Dich nie ver=
2. al = = le Klarheit ist, Daß ich bleib auf rechter

1. Sollst mir e = = wig Al = les sein. Daß mein Herz Dich

1. läßt, Halt es, Je = = su, e = wig fest. Daß mein
2. Bahn, Führ mich, Hei = land, him=mel = an. Daß ich

1. nie ver=läßt, Halt es, Je = su, e=wig fest,

1. Herz   Dich nie ver=läßt,   Halt es, Je = = su, e=wig fest.
2. bleib   auf rechter Bahn,   Führ mich, Hei = land, himmelan.

1. Daß mein Herz Dich   nie verläßt,   Halt es, Je = su,   e=wig fest.

3. Jesu, bleibe Du mein Hirt,
Der sein Schäflein selig führt,
Mich mit Lebenswasser tränkt
Und mir Gottesfülle schenkt.
:,: In der Wüste, wie auf Au'n
Laß auf Deine Spur mich schau'n. :,:

4. Jesu, großer Meister Du,
Das sei meine süße Ruh:
Daß ich völlig Dir geweiht
Treu Dir diene in der Zeit,
:,: Bis ich darf im sel'gen Licht,
Schauen Dich von Angesicht. :,:

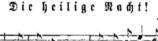

Die heilige Nacht!

Fröhlich.

1. Sei uns willkommen, Hei = li = ge Nacht! Menschen zur Freu=de Bist Du ge=macht.

Gro=ße und Klei=ne Ju=beln im Chor; Fröh=li=che Lie=der Schweben em=por.

2. Finsterniß deckte Bethlehem's Feld,
Da ward der Himmel Plötzlich erhellt.
Engel, die sangen, Gott zu erhöh'n;
Sangen von „Friede"Wunderbar schön!

3. „Heut ist geboren Christus, der Herr;
Freuet euch, Menschen, Zaget nicht
mehr!"   [Nacht;
So scholl es fröhlich Einst durch die
So soll es heute Schallen mit Macht!

4. Nicht mehr zur Krippe Können wir
zieh'n;
Nicht, wie die Hirten, Betend dort knien:
Dennoch ist Jesus Heute nicht fern;
Kennet die Seinen, Segnet sie gern.

5. Preiset die Stunde, Preiset die Nacht,
Die uns den Heiland Einst hat gebracht!
Große und Kleine, Jubelt im Chor;
Blicket zu Jesu Dankend empor!

Welch ein treuer Freund ist Jesus.

Worte von A. Flammann.

1. Welch ein treuer Freund ist Je-sus, Der da immer hilft so gern!

Welch ein Vorrecht ist's, zu brin-gen Al-les im Ge-bet zum Herrn!

Oft wir un-sern Frie-den stö-ren, Und die Ru-he ist uns fern,

Weil nicht im-mer gleich wir brin-gen Al-les im Ge-bet zum Herrn.

2. Kommen Prüfungen und Leiden?
Leuchtet dir kein Freudenstern?
Zage nicht in solchen Stunden,—
Komme im Gebet zum Herrn.
Wenn die Noth am allergrößten,
Ist die Hülfe dir nicht fern;
Bringe, was dich ängstlich quälet,
Alles im Gebet zum Herrn.

3. Bist du matt und schwer beladen?
Wärest du erquicket gern?
Jesus ist der Müden Stärke,
Gläubig komme zu dem Herrn.
Stehst du einsam und verlassen?
Ihm allein zu trauen lern;
Bringe froh in allen Lagen
Alles im Gebet zum Herrn!

Jesus von Nazareth.

1. Wie wälzt das Volk sich drängend dort
   Mit sturm-be-weg-ter
   Warum die Men-ge Tag für Tag,
   Was ist's, das sie so

Ei-le fort, lo-cken mag?} Und lau-ter, lau-ter tönt der Schrei:

Chor.

„Je-sus von Na-za-reth geht vor-bei." Und lau-ter, lau-ter

tönt der Schrei: „Je-sus von Na-za-reth geht vor-bei."

2. Wer ist der wunderbare Mann,
   Deß Wort die Stadt bewegen kann,
   Der als ein Fremdling in ihr weilt,
   Deß Flammenwort manch' Herz ereilt?
   Und mächt'ger noch ertönt der Schrei:
   „Jesus von Nazareth geht vorbei."
   [Chor.

3. Jesus, der Herr, der unsre Noth
   Getragen hat bis in den Tod,
   Der Schwerbeladnen Hilf und Heil,
   Der Lahmen Stab, der Armen Theil.
   Die Blinden jauchzen bei dem Schrei:
   „Jesus von Nazareth geht vorbei."
   [Chor.

4. Er kommt noch heut' von Stadt zu Stadt,
   Wo immer Er zu helfen hat,
   Er naht sich jedem Hause bald
   Mit Seiner Liebe Allgewalt.
   An Deiner Thür ertönt der Schrei:
   „Jesus von Nazareth geht vorbei."
   [Chor.

5. Doch wenn ihr diesen Ruf verschmäht
   Und an dem Herrn vorüber geht,
   Und Seine Gnade von Euch stößt,
   Der Euch mit Seinem Blut erlöst,
   So heißt's: zu spät! O ernster Schrei:
   „Jesus von Nazareth ging vorbei."
   [Chor

Mehr und mehr.

Worte von H. Mann.

1. Gro=ßes hat der Herr ge=than, Mehr als ich ver=ste=he!
Mir ge=zeigt die Himmelsbahn, D'rauf ich fröh=lich ge=he.
Doch noch mehr verlangt mein Herz, Mehr von Sei=ner Gna=de!
Auf dem We=ge him=mel=wärts, Mehr von Sei=ner Gna=de!

Chor.

Mehr und mehr, im=mer mehr, Mehr von Sei=ner Gna=de!

Ja, mein Je = su, gieb mir mehr, Mehr von Dei=ner Gna = be!

2. Großes thut der Herr noch heut',
Mehr, als ich verliebe!
Schenkt mir Frieden, Trost und Freud',
Hilft aus jedem Wehe.
Doch noch mehr verheißt Sein Wort,
Mehr von Seiner Liebe!
Ja, Er gibt mir immerfort,
Mehr von Seiner Liebe!   [Chor.

3. Großes wird der Herr noch thun,
Mehr, als ich verstehe!
In Ihm soll ich freudig ruh'n,
Auf Ihn gläubig sehen.
Ja, kann gibt Er immerdar
Mehr von Seinem Geiste!
O, Er macht mich ja fürwahr,
Voll von Seinem Geiste!   [Chor.

Moderato.

Ich liebe Dich.

1. Ich lie = be Dich; denn Du hast Dich ge = ge = ben Für mich, mein Gott und Heil! Ich lie = be Dich; was wä = re mir das Le = ben,

pp rit.

Hätt ich an Dir nicht Theil, Hätt ich an Dir nicht Theil.

2. Ich liebe Dich, weil Du, Gott, voll Erbarmen
Mich liebst von Ewigkeit.
Ich liebe Dich; Du liebst und trägst mich Armen
:,: Stets mit Barmherzigkeit. :,:

3. Ich liebe Dich; wie wucken sie zu Schanden,
Die hoffend Dir vertraut.
Ich liebe Dich; das Leben alle sanken,
:,: Die zu Dir aufgeschaut. :,:

4. Ich liebe Dich; laß Deine Klarheit scheinen
Aus meinem Angesicht!
Ich liebe Dich; Du leitest ja die Deinen
:,: Mit Deiner Augen Licht. :,:

5. Ich liebe Dich; nur Du bist mein Verlangen;
Mich tröstet stets nach Dir
Ich liebe Dich; o laß mich Dich umfangen,
:,: Und schenke ganz Dich mir! :,:

Immer fröhlich.

Worte von J. A. Reiß.

1. Laßt die Herzen immer fröh=lich Und mit Dank er=fül=let sein,
2. Gott führt uns an Va=ter=hän=den, Schü=tzet uns im Kampf u. Streit,

1. Denn der Va=ter in dem Him=mel Nennt uns sei=ne Kin=der=lein.
2. Sei=ne Gna=de ist's, die täg=lich Kraft und Stärke uns ver=leiht.

Chor.

Im=mer fröh=lich, im=mer fröh=lich, Al=le Ta=ge Sonnenschein.

Voller Schönheit ist der Weg des Lebens, Fröh=lich laßt uns immer sein.

3. Wenn wir uns von Ihm abwenden,
   Wird es finster um uns her;
   Unser Gang ist nicht mehr sicher,
   Und das Herz von Freuden leer. [Chor.

4. Aber die Gerechten grünen
   Und ihr Pfad ist immer licht;
   Laßt uns deßhalb Jesu dienen,
   Will'gen in die Sünde nicht. [Chor.

Kommt, Kinder!

Lebhaft.

1. Kommt, Kinder, kommet Alle her! Kommt, stimmt, ein Loblied an!

Gelobt sei Christus, unser Herr! Er kommt, Er kommt heran!

Hosianna, Hosianna, Hosianna in der Höh'!

Hosianna, Hosianna, Hosianna in der Höh'.

2. Die Feinde Jesu reden drein;
  Doch Er, der Meister spricht:
  Die Steine müßten wahrlich schrei'n,
  Wenn Kinder riefen nicht:
  Hosianna! 2c.

3. D'rum sind wir auch mit Herz und Mund
  Zum Lobe stets bereit
  Und machen unsre Freude kund
  Auf Erden weit und breit:
  Hosianna! 2c.

Die herrliche Erlösung.

Worte von J. A. Reih.

1. Jesus, Du hast mich er-lö-set, Als ich hülf-los zu Dir kam,

Und Dein Blut hat mich ge-rei-nigt, Hal-le-lu-jah sei dem Lamm!

Chor.

Bringet meinem Heiland Eh-re, Eh-re dem er-würgten Lamm,

Durch sein Blut bin ich ge-ret-tet; Hal-le-lu-jah sei dem Lamm!

2. Lange sehnte sich mein Herze
Rein und ganz erlöst zu sein;
Endlich fand ich, was ich suchte,
Durch den Glauben nur allein. [Chor.

3. Hoffend, glaubend, jede Stunde
Reinigt mich sein Blut auf's Neu',
Und in Jesu Christi Wunden
Fühl ich sicher, froh und frei. [Chor.

4. Jesu will ich leben, sterben,
Ihm hab' ich mich ganz geweiht;
Seine Gnade will ich rühmen
Hier und dort in Ewigkeit. [Chor.

5. Ehre sei dem Blut gesungen,
Das geflossen auch für mich;
Stimmet an mit tausend Zungen:
Hallelujah, ewiglich! [Chor.

Das Kreuz.

Worte von J. A. Reitz.

1. Wenn ich im Geist das Kreuz erblick, An dem der Fürst des Lebens hing, So frag' ich
2. Mein Rühmen sei von seinem Blut Und sei-nem Kreu-zes-tod al-lein, Ja ihm mein

Chor.

1. nichts nach Erdenglück Und eit-le Ehr' ist mir ge-ring. Das theu-re Kreuz, an
2. Glaubens-an-ker ruht, Sein Blut macht mich von Sün-de rein. Von al-ler Sün-de,

dem der-einst Das treu-ste Herz ge-bro-chen, Darum hal-te ich mich fe-ste, Immer
al-ler Schuld, Hat es mich frei-ge-spro-chen,

fe-ster an das Kreuz, Ja, ich drü-cke im-mer fe-ster An mein Herz das Kreuz.

3. Sieh, wie sein Haupt der Heiland neigt!
   Hörst du der Feinde bittern Hohn,
   Wo wurde je solch' Lieb' gezeigt?
   Wann trug ein König solche Kron'?
   [Chor.

4. Wär' auch die ganze Erde mein,
   So blieb die Gabe zu gering;
   Ich selbst will mich zum Opfer weihn
   Mit allem, was ich hab' und bin.
   [Chor

Friede und Freude im heiligen Geist.

1. Ich bli=cke voll Beu=gung und Stau=nen Hin=ein in das Meer sei=ner
2. Wie lang hab ich müh=voll ge=run=gen, Ge=seufzt un=ter Sünde und

1. Gnad Und lau=sche der Bot=schaft des Frie=dens, Die
2. Schmerz! Doch als ich mich ihm ü=ber=las=sen, Da

1. er mir verkün=di=get hat.   { Sein Kreuz bedeckt meine Schuld; }
2. strömte sein Fried' in mein Herz.   { Sein Blut macht hell mich und rein. }

Mein Wil=le gehört mei=nem Gott; Ich trau=e auf Jesum al=lein.

3. Sanft hat seine Hand mich berühret;
   Er sprach: „O mein Kind, du bist heil!"
   Ich faßte den Saum seines Kleides;
   Da ward seine Kraft mir zu theil.
     Sein Kreuz bedeckt 2c.

4. Der Fürst meines Friedens ist nahe;
   Sein Antlitz ruht strahlend auf mir.
   O horcht seiner Stimme; sie rufet:
   „Den Frieden verleihe ich dir!"
     Sein Kreuz bedeckt 2c.

Das Schäflein Christi.

Lebhaft.

1. { Wie herr = lich ist's, ein Schäf = lein Chri = sti wer = den
   { Kein höh' = rer Stand ist auf der gan = zen Er = den,

2. { Hier fin = det es die an = ge = nehm = sten Au = en,
   { Kein Au = ge kann die Gna = ben ü = ber = schau = en,

Und in der Huld des treu = sten Hir = ten steh'n! }
Als un = ver = rückt dem Lam = me nach = zu = geh'n. }

Hier wird ihm stets ein fri = scher Quell ent = deckt; }
Die es all = hier in rei = cher Men = ge schmeckt. }

Was al = le Welt nicht ge = ben kann, Das trifft ein
Hier wird ein Le = ben mit = ge = theilt, Das un = auf=

sol = ches Schaf bei sei = nem Hir = ten an.
hör = lich ist und nie vor = ü = ber = eilt.

3. Wie läßt sich's da so froh und fröhlich sterben, [Hirten liegt!
Wenn hier das Schaf im Schooß des
Es darf sich nicht vor Tod und Höll'
   entfärben,
Sein treuer Hirt' hat Höll' und Tod be=
Fällt gleich die Leibeshütte ein, [siegt!
So wird die Seele doch kein Raub des
   Moders sein.

4. Doch dies ist nur der Vorschmack größ'rer [Freuden;
Es folget nach die lange Ewigkeit!
Da wird das Lamm die Seinen herrlich
   weiden, [beut,
Wo der krystall'ne Strom das Wasser
Da siehet man erst klar und frei,
Wie schön und auserwählt ein Schäflein
   Christi sei.

22

Frei vom Gesetz!

1. Frei vom Ge=setz! O se=li=ges Le=ben! Hier in dem
Blut wird Sün=de ver=ge=ben! Wir sind verflucht, verderbt durch den
Fall, A=ber er=löst mit Ei=nem Mal! E=wig frei! O faßt es, ihr
Sün=der! E = wig frei! O glaubt es, ihr Kin=der! Schau=et zum
Kreuz, da sühnt er den Fall! Je=sus er=löst mit Einem Mal!

2. Jetzt sind wir frei! Nichts kann uns
verdammen!
Völlig erlöst, wir alle zusammen! [All'!
Hört doch den Ruf: Kommt her zu mir
Kommet, erlöst mit Einem Mal! [Chor.

3. Kinder des Höchsten! Herrliche Gnade!
Sicher bewahrt er euch auf dem Pfade;
Vom Tod zum Leben ruft euch die
Wahl,
Selig erlöst mit Einem Mal! [Chor.

Der große Arzt.

1. Der gro-ße Arzt ist jetzt uns nah, Der Ho-he-prie-ster Je-sus.

Er ist mit sei-nem Tro-ste da, O hö-ret un-sern Je-sus!

Chor.

Schön-ster Ton im En-gel-sang, Auf der Er-de schön-ster Klang,

pp

Und der sü-ße-ste Ge-sang: Je-sus, Je-sus, Je-sus!

2. Die Sünden all' vergibt er euch,
   O höret doch auf Jesus!
   Geht eilends ein in's Himmelreich,
   Geführt von eurem Jesus! [Chor.

3. Dem Lamm, das starb, allein sei Ehr';
   Ja lobt und preiset Jesus.
   Des Heilands Namen lieb' ich sehr,
   Ich liebe meinen Jesus!

4. Sein Name nimmt mir Schuld und
   Der Name meines Jesus! [Schmerz,
   Mit hoher Wonne hört mein Herz
   Den süßen Namen Jesus! [Chor.

5. Wenn dann zum Himmel einst entfloh'n,
   Wir sehen dürfen Jesus,
   Dann singen wir um seinen Thron
   Den sel'gen Namen Jesus! [Chor.

Das verlorne Kind.

„Ich will mich aufmachen und zu meinem Vater gehen." Luk. 15. 18.

Langsam mit gefühlvollem Ausdruck.

3. Komm heim, komm heim
Aus dem schrecklichen Land,
Wo der Finsterniß Macht
Dir nur Jammer gebracht! [Chor.

4. Komm heim, komm heim!
Bei dem Vater ist's gut.
Freundlich winkt Er dir zu,
Beut' Vergebung und Ruh'. [Chor

Sieh' auf's Kreuz und lebe!

Einfach.

1. Wer Jesum am Kreu-ze im Glau-ben er-blickt, Wird heil zu der-sel-bi-gen Stund; D'rum blick' nur auf Ihn, den der Va-ter ge-schickt, Der einst auch für dich ward ver-wund't.

Chor.

Sieh', sieh', Sün-der sieh'! Wer Jesum am Kreu-ze im Glau-ben er-blickt, Wird heil zu der-sel-bi-gen Stund.

2. O hat nicht dein Jesus getragen die Schuld,
Gebüßet am Kreuz auch für dich?
O floß nicht Sein Blut voll erbarmender Huld
Zur Erlösung für dich und für mich? [Chor.

3. Dein Weinen und deine Gebete sind's nicht,
Wodurch du mir Gott wirst versöhnt;
Das Blut deines Heilands befreit vom Gericht,
Er ist's, der mit Gnade dich krönt. [Chor.

4. O zweifle nicht länger, o glaub' es gewiß,
Du hast nun sonst nichts mehr zu thun;
Dein Jesus, Er trat auch für dich in den Riß,
In Ihm kannst du seliglich ruh'n. [Chor.

5. So nimm denn mit Freuden, was Jesus dir beut,
Er giebt dir das ewige Heil;
O, glaub' es gewiß, o, ergreif' es noch heut',
So bleibt es dein ewiges Theil! [Chor.

Der Lebensabend.

Worte von J. A. Reitz.

3. Ich habe überwunden bald,
Deß freuet sich mein Herz;
Horch, wie das Lied der Sel'gen schallt,
Es zieht mich himmelwärts.   [Chor.

4. Ich sehne mich daheim zu sein
Bei Dem, der für mich starb,
Deß Blut mich wusch von Sünden rein,
Der mir das Heil erwarb.   [Chor.

Die kleinen Lichter.

„Brüder, unser Meister sorgt für den großen Leuchtthurm; unsere Aufgabe ist es, die kleinen
Lichter brennend zu erhalten." Moody.

1. Prächtig strahlt des Meisters Gnade Von des Leuchtthurms Felsenrand, Doch uns giebt er, treu zu halten, Kleine Lichter an dem Strand.

Chor.

Laßt die kleinen Lichter brennen, Laßt sie strahlen durch die Nacht; Daß noch manch verirrter Schiffer Sicher werde heimgebracht.

3. Auf denn, Brüder! schmückt die Lampen,
Denn ein Schiffer in Gefahr
Mag verderben nah dem Hafen,
Weil kein Lichtlein brennend war.
[Chor.

2. Dunkel ist die Nacht der Sünde,
Und der Sturm tobt, wuthentbrannt;
Aengstlich schaut manch spähend Auge
Nach den Lichtern an dem Strand.
[Chor.

Der Weg, den Viele wandeln.

1. { Der Weg, den Vie = le wan = deln, Ist nicht der Weg für mich; }
{ Er führt zu Tod und Jam = mer, Zu Qua = len e = wig = lich; }

Doch ist ein Weg, der führt zu Gott Durch Christi Blut und Kreu=zes=tod,

D'rauf freut der Pil = ger sich, Dies ist der Weg für mich!

2. Die Perle eitler Kinder
Ist nicht die Perl' für mich;
Ihr Glanz verwelkt und täuschet
Den Menschen jämmerlich.
Die Perle, die mich machet reich,
Die heißt die Perl' vom Himmelreich.
Ihr Glanz bleibt ewiglich,
Dies ist die Perl' für mich.

3. Der Purpur der Monarchen
Hat keinen Reiz für mich;
Denn ach, wie manch' arm' Herze
Krümmt bang' darunter sich.
Nur Einen kenn' ich schön und hell,
Getragen von Immanuel,
In Ihm erfreut man sich,
Der Purpur ist für mich!

4. Der Kelch des Weltvergnügens
Ist nicht der Kelch für mich;
Er scheint wohl süß zu schmecken,
Doch birgt er Gift in sich.
D'rum stehe ich für meinen Theil:
O Herr! schenk' mir den Kelch zum Heil,
D'ran Dein Volk labet sich,
Dies ist der Kelch für mich!

5. Die Hoffnung sich'rer Sünder
Ist meine Hoffnung nicht,
Sie ist auf Sand gegründet,
Stürzt, wenn die Fluth einbricht.
Nur Eine, auf den Fels gebaut,
Ist es, auf die mein Herz vertraut,
Sie heißet: Jesus Christ;
Dies meine Hoffnung ist!

„Auf ewig bei dem Herrn.“

Worte von E. Gebhardt.

2. Im Glauben seh' ich schon
   Der Seele Heimath klar,
   Das Perlenthor, die Lebenskron',
   Der Engel sel'ge Schaar.
   Chor: Ich walle u. s. w.

3. Wie sehnt sich doch mein Herz,
   In Salem einzugehn,
   Wo ich, erlöst von allem Schmerz,
   Als Gotteskind darf stehn.
   Chor: Ich walle u. s. w.

4. „Auf ewig bei dem Herrn!“
   Ganz wie der Vater will;
   Nur bitt' ich, Herr, sei mir nie fern
   Und bring' mich an das Ziel!
   Chor: Ich walle u. s. w.

Chor: So leb' denn wohl, o Welt,
   Geschieden bleiben wir,
   Bald schlag' ich ab mein Pilgerzelt
   :,: Und geh', Herr, :,: :,: heim zu Dir! :,: :,: :,:

23

Die Heimath der Frommen.

Worte von J. A. Reiß.

1. Am Zer-baus-u - fer ſte - ke ich Und bit - te ſehn - ſuchts - voll
   Nach ei - nem Land, das auch für mich, Die Hei-math wer - den ſoll.

Chor.

Wir rei - ſen in's ver - heiß' - ne Land der Ruh', Der
Land der Ruh';

Hei - math der Frommen gebt es zu, Lob - ſin - gend zie - hen wir da -
gebt es zu.

bin. Lob - ſin - gend zie - hen wir da - hin.
wir da - hin,

2. O welche Freude harret dort
   Der Seele, die Gott liebt,
   Wie herrlich iſt's an jenem Ort,
   Wo nichts den Frieden trübt. [Chor.

3. Wie reizend ſchimmert dort das Licht
   Durch Bäume immergrün,
   Wie ſind die Lüfte lebensfriſch,
   Die Berg' und Thal durchziehn. [Chor.

4. Die ſchönſte Harmonie durchbringt
   Den ganzen Himmelsraum,
   Und wie der Engelchor da ſingt,
   Das faßt der Glaube kaum. [Chor.

5. Drum laßt uns folgen unſerm Hort
   Durch Freuden oder Leid,
   Dann ſchauen wir dareinſt ihn dort
   In ſeiner Herrlichkeit. [Chor.

Herr Jesu, dir leb ich.

Herr Je - su, Dir leb' ich! Herr Je - su, Dir

leid' ich! Herr Je - su, Dir sterb' ich! Dein bin ich todt und le-

ben - dig. Mach' mich, o Je - su, e - wig se - lig!
Mach' mich, o Je - su, e - wig se - lig!

Mach' mich, o Je - su, e - wig se-

lig. A — — — — — — — — — — — — men.

Mit Gott fang' an.

1. Mit Gott fang' au, Mit Gott hör' auf, Das
2. Dein Herz Sein Thron, Sein Heil dein Lohn, Dein

ist der be - ste Le - bens - lauf. — — —
Ruhm und Freu - de Got - tes Sohn! — —

Amen.

A - men! A - men! Frie - de ü - ber Is - ra - el!

Frie-de ü-ber Is-ra-el! A-men, A-men, A-men!

Sachregister.

Alphabetisches Register.

Druck:
Customized Business Services GmbH
im Auftrag der KNV-Gruppe
Ferdinand-Jühlke-Str. 7
99095 Erfurt